COCRIADOR
DA REALIDADE

CARO(A) LEITOR(A),
Queremos saber sua opinião sobre nossos livros.
Após a leitura, curta-nos no facebook.com/editoragentebr,
siga-nos no Twitter @EditoraGente e
no Instagram @editoragente
e visite-nos no site www.editoragente.com.br.
Cadastre-se e contribua com sugestões, críticas ou elogios.

ELAINNE OURIVES
AUTORA BEST-SELLER

COCRIADOR
DA REALIDADE

DESPERTE O PODER INFINITO
QUE EXISTE DENTRO DE VOCÊ

Diretora
Rosely Boschini

Gerente Editorial
Rosângela de Araujo Pinheiro Barbosa

Editora Júnior
Rafaella Carrilho

Assistente Editorial
Tamiris Sene

Produção Gráfica
Fábio Esteves

Preparação
Amanda Oliveira

Capa
Valeska Pavoski

Montagem de Capa e ilustrações p. 60, 61, 63, 90, 124
Sagui Estúdio

Projeto Gráfico e Diagramação
Gisele Baptista de Oliveira

Revisão
Natália Domene Alcaide

Impressão
Rettec

Copyright © 2022 by Elainne Ourives
Todos os direitos desta edição são reservados à Editora Gente.
Rua Natingui, 379 – Vila Madalena
São Paulo, SP – CEP 05443-000
Telefone: (11) 3670-2500
Site: www.editoragente.com.br
E-mail: gente@editoragente.com.br

Dados Internacionais de Catalogação na Publicação (CIP)
Angélica Ilacqua CRB-8/7057

Ourives, Elainne
  Cocriador da realidade : Desperte o Poder Infinito que existe dentro de você / Elainne Ourives. - São Paulo : Editora Gente, 2022.
  192 p.

ISBN 978-65-5544-237-3

1. Desenvolvimento pessoal 2. Sucesso 3. Disciplina mental 4. Controle da mente 5. Vibração 6. Sucesso I. Título

21-2646   CDD 158.1

Índice para catálogo sistemático:
1. Desenvolvimento pessoal

Nota da Publisher

Eu poderia simplificar minha nota ao dizer: confie, a Elainne vai ajudar você a mudar a sua vida. Por enquanto você pode desconfiar desse meu conselho, mas vai descobrir, ao final da leitura, que é verdadeiro.

Essa mulher poderosa me chamou a atenção desde nossa primeira conversa. Na época, eu tinha uma desconexão com a minha casa, sentia desconforto ao ficar sozinha, me sentia incomodada ali, principalmente de noite. O mais estranho era que o local era seguro, meu sentimento não tinha fundamento.

Verdadeiramente, a minha vontade era me mudar, apesar de ser um ótimo local para morar.

Quando comentei com a Elainne sobre esse sentimento, ela se disponibilizou para ir até minha casa e me ajudar com a questão. Olhe, eu não acreditaria ser possível caso alguém me dissesse na época que eu ficaria bem naquela casa, mas ela simplesmente transformou a minha relação com aquele ambiente. Hoje, eu tenho um lar, um local de proteção e descanso.

Depois de anos editando tanta gente maravilhosa, é muito difícil me impressionar dessa maneira. E tenho certeza de que, ao aplicar seus ensinamentos, você também será impactado pelo poder de transformação que Elainne é capaz de nos entregar.

Não à toa, ela é autora de três grandes best-sellers e tem uma multidão de seguidores apaixonados pelo seu trabalho. Seus resultados são tão expressivos que quase falam por si mesmos. E talvez seja por isso que você está nesta leitura, por ter se deparado com alguém que conseguiu transformar a Lei da Atração em algo aplicável no dia a dia, de modo que esse poder está acessível para todos.

Em seu livro, Elainne nos entrega a chave para o sucesso de nosso futuro a partir de práticas muito bem estruturadas e simples de se seguir. O processo, claro, dependerá de você seguir com confiança todos os ensinamentos, mas ao fazer isso você perceberá rapidamente as forças da Holo Cocriação atuando nas mudanças em sua vida.

Sendo assim, durante a leitura, tenho apenas um conselho para você: confie, acredite e realize!

E apenas um desejo: que você concretize todos os seus sonhos.

Uma ótima leitura,

ROSELY BOSCHINI
CEO e Publisher da Editora Gente

Agradecimentos

Este livro não teria sido viável sem ajuda de pessoas muito especiais para mim.

Agradeço com muito amor, meus filhos Julia, Arthur e Laura por estarem sempre na arquibancada dos meus sonhos, aplaudindo e torcendo por mim. Sou grata pela minha assistente de conteúdo Kelly Coelho, que fez um trabalho incrível neste projeto, dedicando todo seu tempo para que este livro fosse entregue ao mundo em tempo record.

Agradeço minha irmã de alma, missão e jornada Jaqueline Bresolin e toda minha linda equipe de luz: sem esse time incrível nada do que fazemos seria possível.

Sou grata a minha família, pai querido, Erevaldo Ourives, minha madrasta, Helena, aos meus amados irmãos, Leandro, Liane, Andreia e Andresa.

Agradeço especialmente a minha mãe, Juraci Ourives (*in memorian*), ela faz parte disso, e eu sei que, de onde estiver neste momento, ela está aplaudindo meu sucesso.

Sou grata a Deus, ao Universo de Infinitas Possibilidades, por me escolher para ser Elainne Ourives e deixar esse legado e uma contribuição tão grandiosa para o mundo. Eu honro ser Elainne Ourives e prometo nunca decepcionar.

Sou grata pela minha história, pois foi ela que me trouxe até aqui.

Sou grata por você que está lendo, meu leitor amado, grata por ter sintonizado a vibração desta obra. Agora você pode pensar que escolheu este livro. Mas logo vai entender que foi ele que escolheu você.

Sou grata pela vida. Porque ela é incrível. #avidaéincrível e eu sou Holo Cocriador de tudo!!

QUEM É ELAINNE OURIVES? 10

INTRODUÇÃO
O que é Holo Cocriação®? 12

1

FUNDAMENTOS DA HOLO COCRIAÇÃO® 17

Frequência Vibracional® 17
a) Mapa da Consciência Humana e
   Escala das Emoções 19
b) Os níveis de consciência 21
c) Percepção da realidade 37
d) Frequência da Cocriação 42
e) Sair da baixa vibração é uma escolha 53
f) A importância da Escala das Emoções
   na Técnica Hertz® 56

2

FÍSICA QUÂNTICA 59

a) Átomo 60
b) Campo Eletromagnético 62
c) Campo Quântico 64
d) Experimento da Dupla Fenda 67
e) Salto Quântico 69
f) Emaranhamento Quântico 70
g) Função de Onda e Colapso da Função de Onda 72
h) Efeito Zenão 73
i) Outros princípios importantes da Física Quântica
   relacionados à Holo Cocriação® 76

3

NEUROCIÊNCIAS 77

a) Mente consciente e mente inconsciente 77
b) Memórias e crenças limitantes 80
c) Identificação de crenças 84
d) Reprogramação de crenças 88
e) Neuroplasticidade 91
f) Visualização Holográfica 96

4 LEIS UNIVERSAIS 99

1. Lei da Unidade Divina ... 100
2. Lei da Vibração ... 103
3. Lei da Correspondência ... 106
4. Lei da Atração ... 107
5. Lei da Ação Inspirada ... 109
6. Lei da Transmutação Perpétua de Energia ... 110
7. Lei da Causa e Efeito ... 114
8. Lei da Compensação ... 115
9. Lei da Relatividade ... 118
10. Lei da Polaridade ... 120
11. Lei do Ritmo ... 121
12. Lei do Gênero ... 123

5 CEM BINGOS DA HOLO COCRIAÇÃO® 127

Bingos negativos: Pensamentos, sentimentos e comportamentos que você deve evitar ou eliminar ... 127

Bingos positivos: Pensamentos, sentimentos e comportamentos que você deve procurar adotar e incorporar ... 147

6 HOLO COCRIAÇÃO® EM DEZ PASSOS 163

PASSO 1 – Defina seu sonho ... 163
PASSO 2 – Verifique o que você pensa e sente sobre seu sonho ... 164
PASSO 3 – Limpe suas crenças ... 166
PASSO 4 – Eleve e sustente sua Frequência Vibracional® ... 169
PASSO 5 – Visualize ... 174
PASSO 6 – Assuma o sentimento do desejo realizado ... 176
PASSO 7 – Alinhamento Vibracional ... 178
PASSO 8 – Silencie-se em Ponto Zero ... 182
PASSO 9 – Solte ... 184
PASSO 10 – Aja ... 186

REFERÊNCIAS 189

Quem é Elainne Ourives?

Mestra e Treinadora de Treinadores em Mestres da Atração e Ho'oponopono Certification™, formada pelos doutores Joe Vitale, Mathew Dixon e Ihaleakala Hew Len na Global Sciences Foundation (Califórnia, Estados Unidos); mestra em Direito da Atração e Treinadora de Treinadores em Law Of Attraction® Joe Vitale, Elainne é autora best-seller de três livros: *DNA Milionário*®, *DNA da Cocriação*® e *DNA Revelado das Emoções*®.

Há mais de vinte e seis anos, Elainne é pesquisadora nos campos da Reprogramação Mental, Física Quântica e Neurociência. Possui mais de duzentos livros digitais publicados. Atualmente, são 200 mil alunos participando de seus cursos, em 31 países, sendo mais de 100 mil deles apenas no Holo Cocriação®.

A autora é certificada como Mentora pelo HeartMath® Institute (Califórnia, Estados Unidos). Suas certificações são: Mentoria HeartMath Resilience™, certificação Clínica Heartmath para Estresse, Ansiedade e Regulação Emocional HeartMath®. É mentora do Programa de Certificação on-line HeartMath de Intervenções para Profissionais da Área da Saúde e do Programa de Construção de Resiliência Pessoal. Elainne é ainda formada em Neurociências,

Psicanálise, Ativismo Quântico – pelo cientista indiano Amit Goswami – e em Desdobramento Quântico do Tempo – pelo físico francês Jean Pierre Garnier Malet.

Ativista Quântica e Multiplicadora oficial do Ativismo Quântico, treinada por Tom Campbell (ex-NASA), Gregg Braden, Bob Proctor, Joe Dispenza, Bruce Lipton, Deepak Chopra e Tony Robbins, a autora possui mais de 100 milhões de visualizações nos seus conteúdos das redes sociais Instagram, YouTube e Facebook; mais de 2 milhões de seguidores em todas as redes. Atualmente, conta com mais de 100 mil depoimentos postados e documentados em redes sociais e mais de 2 mil validações científicas registradas em cartório!

Introdução
O que é Holo Cocriação®?

Se você é meu mais novo seguidor e, apesar de ter se interessado pelos meus projetos, ainda não conhecia a expressão "Holo Cocriação® da Realidade", este livro é para você! Primeiramente, seja muito bem-vindo(a) ao meu fantástico mundo; fico imensamente feliz, grata e honrada com a sua chegada e com a sua confiança. Você pode ainda não saber, mas se me achou, ou melhor, se me sintonizou, é porque você é um Holo Cocriador®!

Deixa eu adivinhar: você me encontrou porque estava pesquisando alguma coisa sobre como usar a Lei da Atração para mudar a sua vida e realizar os seus sonhos. Acertei? Talvez você seja 100% novato neste mundo da cocriação; talvez você já tenha acessado outros conteúdos, lido alguns livros, feito algum treinamento e colocado em prática alguma técnica; ou ainda, pode ser que você já esteja na "luta" há bastante tempo, já tenha estudado, experimentado e tentado muita coisa e esteja se perguntando por que essa tal Lei da Atração ainda não funcionou para você. Qualquer que seja o motivo, neste momento, o importante é que você está aqui!

A partir de agora, nós não vamos mais falar em Lei da Atração, mas em Holo Cocriação® da Realidade, e vou explicar o motivo. "Lei da Atração" é uma expressão que se tornou muito popular a partir do lançamento do documentário O segredo, de Rhonda Byrne, em 2006, que na época foi algo revolucionário. Rhonda Byrne, com seu documentário e livro de mesmo título publicado posteriormente, prestou um serviço incomensurável à expansão de consciência da humanidade, apresentando uma compilação fabulosa de conhecimentos que abalaram a crença comum de que a realidade se manifesta de acordo com a lei newtoniana da causa e efeito, de que nós não temos controle sobre as causas da realidade e que não podemos fazer nada além de aceitar os efeitos do que nos acontece.

Ela certamente merece todas as honras por seu pioneirismo, dedicação e coragem, mas enxergava com clareza os limites do que as pessoas estavam prontas para ouvir e assimilar naquele primeiro momento. Definitivamente, ela abriu um portal e expôs conceitos até então velados ao grande público; entretanto, o conteúdo de *O segredo* não podia se revelar por completo naquele momento.

Para algumas pessoas – aquelas que já estavam prontas e espontaneamente já tinham desenvolvido os requisitos da consciência de cocriação –, *O segredo* foi a gota d'água para a obtenção de grandes resultados. Contudo, para a maioria das pessoas, aquelas que ainda não atingiram o nível de consciência necessário para a cocriação da realidade e que ainda tinham suas mentes inconscientes poluídas por crenças limitantes, *O segredo* simplesmente não funcionou. Dessa maneira, o livro e toda a literatura relacionada à Lei da Atração foi rotulada de "autoajuda" ou considerada uma excentricidade esotérica inacessível a pessoas comuns.

Inquestionavelmente, a Lei da Atração, enquanto Lei Cósmica com validade universal, funciona para todos. O grande problema é entender as condições necessárias para que ela possa operar, de modo que a "magia" aconteça para cada um. Em geral, a Lei da Atração é explicada assim: "Você cria sua realidade de acordo com seus pensamentos". Essa explicação está certíssima, porém incompleta.

É por isso que eu criei e adotei o termo "Holo Cocriação®". O conceito de Holo Cocriação® da Realidade engloba e transcende a Lei da Atração, porque Holo Cocriação® não é autoajuda, não é "poder do pensamento positivo", não é apenas esoterismo; Holo Cocriação® é ciência, é metodologia, é sistematização e, ao mesmo tempo, é o despertar da espiritualidade, da conexão com o Divino, da percepção além dos sentidos físicos.

"Holo", do grego, significa[1] todo, tudo, inteiro, completo; "Cocriação"[2] significa "criar junto com". E adivinha junto com quem você pode criar tudo o

---

[1] HOLO. *In*: PRIBERAM Dicionário. Porto: Priberam, 2022. Disponível em: https://dicionario.priberam.org/holo. Acesso em: 18 maio 2022.

[2] COCRIAR. *In*: PRIBERAM Dicionário. Porto: Priberam, 2022. Disponível em: https://dicionario.priberam.org/cocriar. Acesso em: 18 maio 2022.

que quiser? Com o Criador! Isso mesmo, com Deus ou, se você preferir, com a Fonte, Consciência Superior, Energia Primordial, Pai, Espírito, Grande Mãe, Divino, Consciência Cósmica, Universo, Vácuo Quântico ou a denominação com a qual você se identificar.

Portanto, Holo Cocriação® pressupõe a existência de um Poder Superior, mas, obviamente, sem nenhum condicionamento com religiões, de modo que qualquer pessoa, com ou sem religião, é muito bem-vinda e vai se sentir completamente à vontade.

Por outro lado, a Holo Cocriação® também é essencialmente baseada nas ciências, com três pilares científicos fundamentais: a pesquisa do dr. David Hawkins sobre o Mapa da Consciência Humana e a Escala das Emoções, base teórica da Frequência Vibracional®, assunto em que sou especialista; a Física Quântica e as Neurociências. De maneira indissociável, também estão presentes fundamentos da Psicologia, Psicanálise, Filosofia, Programação Neurolinguística (PNL), Técnica de Liberação Emocional (EFT), Neurologia, entre outros.

Para além das ciências, os princípios da Holo Cocriação® também se fundamentam e estão em alinhamento com as Leis Universais, com Princípios Herméticos, com a Filosofia Esotérica e com uma vasta gama de terapias holísticas e ferramentas de cura e alinhamento energético, como a meditação, o Ho'oponopono, o ThetaHealing e os Códigos de Grabovoi.

Dessa maneira, a essência da Holo Cocriação® transcende o conceito de Lei da Atração por ter caráter enciclopédico, ser uma expressão pura da unidade do conhecimento e sabedoria universal, e ser um entrelaçamento perfeito, harmônico e unificador de ciência e espiritualidade, colocado a serviço da sua transformação pessoal e da humanidade como um todo.

Assim, o universo da Holo Cocriação® oferece soluções tanto para as pessoas mais intuitivas e sensíveis, que não precisam de profundas explicações intelectuais para se sentirem conectadas com seu poder de cocriador da realidade, como também para as pessoas mais racionais e analíticas, que precisam satisfazer a necessidade de fundamentação teórica e comprovação científica para reconhecer e acessar esse poder.

Em resumo, a Holo Cocriação® consiste na ciência do direcionamento intencional do poder da sua consciência para a cocriação de todos os seus sonhos, objetivos e metas. Em conexão com o Criador e aplicando conhecimentos científicos e holísticos para a expansão da consciência, a Holo

Cocriação® permite não só cocriar um mundo melhor para você, mas também cocriar um você melhor para o mundo!

E como colocar tudo isso em prática? Bem, é justamente o desejo de repassar esse ensinamento que me motivou a escrever este livro! Aqui, vou explicar com uma linguagem simples, porém ricamente detalhada, quais são os princípios e fundamentos da Holo Cocriação®, bem como tudo o que você deve fazer e do que se abster para expressar seu poder de cocriador em sintonia com sua frequência divina original.

Você vai aprender quais são as chaves da Cocriação consciente da realidade e quais são os obstáculos que precisa neutralizar, tanto na teoria, através da compilação e sistematização de todo conhecimento e explicações científicas, quanto na prática, com exercícios, atividades e técnicas.

Capítulo 1
Fundamentos da Holo Cocriação®

FREQUÊNCIA VIBRACIONAL®

Se alguém me pedisse para resumir em duas palavras o segredo da transformação pessoal que me fez sair de uma vida miserável de dívidas, depressão e escassez e me levou para a vida milionária de sucesso e abundância que vivo hoje, eu certamente diria "Frequência Vibracional®"!

Eu explico: quando adolescente, já estudava sobre os poderes ocultos da mente e já estava ligada na relação que existe entre o que pensamos e acreditamos e a maneira como a realidade se manifesta. Eu me interessava tanto pelo comportamento humano que ainda muito jovem abri uma empresa de recursos humanos, e era tão fascinada pela capacidade de as pessoas criarem as próprias realidades de dentro para fora que me tornei terapeuta e palestrante.

Contudo, apesar de tanto estudo e prática do pensamento positivo, minha vida chegou a uma situação caótica de extrema escassez. Eu não conseguia entender como era possível que uma pessoa tão estudiosa, dedicada e positiva como eu pudesse chegar ao extremo de passar fome e sentir que a única solução para os problemas era a morte.

Nesse período, eu me afastei de Deus, pois o culpava por meus problemas e o acusava de não me enxergar, também culpava a tudo e a todos pela situação em que estava, a qual, na minha percepção, era absolutamente injusta. Tudo me fazia sentir como uma vítima impotente.

Minha sorte foi que, mesmo deprimida, falida e querendo morrer, eu não desisti de estudar e procurar respostas, algo dentro de mim ainda pulsava e me fazia acreditar na possibilidade de uma realidade diferente. Inclusive, eu continuava atendendo e ensinando para meus clientes as técnicas e as ferramentas que eu aprendia em meus estudos.

Curiosamente, apesar de, como pessoa, eu estar em completa falência emocional, como terapeuta, eu era bem-sucedida e reconhecida – meus clientes relatavam resultados extraordinários, muitas vezes até me causavam certa inveja.

Eu demorei para entender o que estava acontecendo, mas enfim compreendi que meus clientes conseguiam as transformações e cocriações que desejavam porque aplicavam o que eu ensinava. Enquanto eu apenas sabia (e veja que já sabia muito, a ponto de dar palestras), meus clientes sentiam e agiam, levavam o conhecimento para a experiência.

Eu percebi que não adiantava ser a "rainha do pensamento positivo", meditar, fazer afirmações e praticar técnicas toda manhã, mas passar o restante do dia sentindo e agindo como vítima, reclamando, criticando e julgando Deus, tudo, todos e, sobretudo, eu mesma.

Foi nesse período que conheci a pesquisa do dr. David Hawkins e todas as fichas caíram de uma vez – o Universo se revelou para mim. Lembro que passei quase quarenta e oito horas sem dormir estudando o Mapa da Consciência Humana e a Escala das Emoções, assuntos que vou explicar em detalhes mais adiante.

Finalmente compreendi que, apesar dos pensamentos positivos e todo o meu conhecimento intelectual, o que determinava a realidade eram minhas emoções e meus sentimentos predominantes, os quais, naquele momento, ainda eram de baixa frequência.

Eu entendi que era uma "vítima" da minha Frequência Vibracional®, isto é, eu era vítima de mim mesma! E, compreendendo que era a responsável pela situação desesperadora em que me encontrava, automaticamente, também compreendi que era responsável e tinha o poder de modificar essa situação.

Bingo! Ninguém podia me fazer mal. Era eu quem estava me colocando naquela situação e, sabendo disso, podia modificá-la – do mesmo jeito que entrei, poderia sair! Era só uma questão de ajustar minha Frequência Vibracional®.

Mas o que é exatamente Frequência Vibracional®? E como ela determina nossa realidade? É justamente isso que vou começar a explicar a partir de agora! Então, prepare-se e alegre-se, porque, ao acessar esse conhecimento, a mudança será inevitável!

a) Mapa da Consciência Humana e Escala das Emoções

David Hawkins (1927-2012) foi um médico psiquiatra norte-americano, pesquisador científico, professor espiritual e autor internacionalmente renomado, ganhador de um Prêmio Nobel, que dedicou a vida à pesquisa dos aspectos científicos, teóricos e práticos da consciência humana.

Em seu livro mais conhecido, *Poder vs. Força* (publicado originalmente em 1995), fruto de vinte anos de pesquisas, ele apresentou o Mapa da Consciência Humana e a Escala das Emoções, nos quais os níveis de consciência se correlacionam com as emoções e têm suas frequências mensuradas em Hertz (Hz). O Mapa da Consciência Humana, além de ser um produto científico espetacular, é também um incrível guia para quem busca autoconhecimento, evolução espiritual, cura, relacionamentos saudáveis e realização pessoal, profissional e material.

Dr. Hawkins conseguiu mensurar a frequência das principais emoções humanas com rigor científico através da aplicação de testes cinesiológicos,[3] da consideração de princípios da Física Quântica e do conceito junguiano de inconsciente coletivo.

Como você pode contemplar na imagem a seguir, no Mapa da Consciência Humana os níveis de consciência estão escalonados hierarquicamente e relacionados com as perspectivas da visão de Deus, visão da vida, nível de consciência, frequência da energia, emoção correspondente e processo evolutivo.

---

[3] Testes cinesiológicos são testes feitos com base nos conhecimentos da Cinesiologia, ciência que tem como técnica a obtenção de respostas simples (sim ou não) diretamente da mente inconsciente da pessoa a partir de testes musculares.

COCRIADOR DA REALIDADE

VISÃO DE DEUS	VISÃO DA VIDA	NÍVEL	FREQUÊNCIA	EMOÇÃO	PROCESSO
Eu	É	Iluminação	700 - 1000	Inefável	Consciência Pura
Todo-Ser	Perfeito	Paz	600	Êxtase	Iluminação
Alguém	Completo	Alegria	540	Serenidade	Transfiguração
Amar	Benigno	Amor	500	Reverência	Revelação
Sábio	Significado	Razão	400	Entendimento	Abstração
Misericordioso	Harmonioso	Aceitação	350	Perdão	Transcendência
Inspiração	Esperançoso	Boa Vontade	310	Otimismo	Intenção
Capaz	Neutralidade	Satisfatório	250	Confiança	Desprendimento
Permissível	Viável	Coragem	200	Afirmação	Fortalecimento
Indiferença	Exigência	Orgulho	175	Desprezo	Presunção
Vingativo	Raiva	Antagônico	150	Ódio	Agressão
Negação	Desapontamento	Desejo	125	Súplica	Escravização
Punitivo	Assustador	Medo	100	Ansiedade	Recolhimento
Desdenhoso	Trágico	Mágoa	75	Arrependimento	Desânimo
Condenação	Desesperança	Apatia	50	Abdicação	Desespero
Vingativo	Maldade	Culpa	30	Destruição	Acusação
Desprezo	Vergonha	Miserabilidade	20	Humilhação	Eliminação

Dificilmente uma pessoa se mantém em um único nível de consciência, podendo transitar entre eles. Desse modo, o nível de consciência de uma pessoa é determinado pela média dos vários níveis em que opera, o que, por sua vez, determina como ela percebe a si mesma e a realidade, além da maneira como interage com o mundo.

A Escala das Emoções é uma espécie de versão resumida do Mapa da Consciência, na qual podemos observar a frequência das emoções mensuradas em Hertz, que é a unidade métrica da frequência. Veja a seguir:

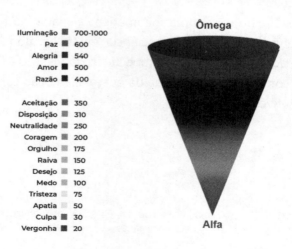

FUNDAMENTOS DA HOLO COCRIAÇÃO®

O nível de consciência predominante de uma pessoa determina como ela pensa, sente, age, reage e interage com a realidade. Esse conjunto de pensamentos, sentimentos e atitudes emite a frequência equivalente ao nível de consciência em que a pessoa se encontra e é justamente isso que chamamos de Frequência Vibracional®.

Sua Frequência Vibracional® é, portanto, em uma metáfora que costumo utilizar, o "Código de Barras", é a assinatura eletromagnética, uma espécie de "CPF energético" que contém e emite as informações a respeito de quem é você. Nesse sentido, a Frequência Vibracional® que você emana determina a realidade que você experimenta pela manifestação de situações, eventos, circunstâncias e relacionamentos de frequência equivalente.

EXERCÍCIO DE AUTOCONHECIMENTO

O Mapa da Consciência Humana, também chamado de Tabela de Hawkins, é uma valiosíssima ferramenta de autoconhecimento, pois sua contemplação permite uma identificação intuitiva de onde nós estamos e de onde queremos chegar. Para o exercício, siga os passos a seguir:

Respire fundo, relaxe e observe a tabela (disponível na página 20), leia cada item com atenção, procurando sentir em qual nível você está vibrando predominantemente neste momento da vida. Quando você percebe qual é a frequência que está emanando, automaticamente entende que somente você é capaz de alterá-la para ascender a níveis mais elevados e ser capaz de modificar a si mesmo e a sua realidade.

b) Os níveis de consciência

Vergonha (20 Hz) – Frequência mais baixa da tabela, o nível da vergonha é perigosamente próximo à morte, pois a pessoa que vibra na vergonha vive como um zumbi, é praticamente um "morto-vivo". Na vergonha, é comum a presença de pensamentos suicidas, vontade de "sumir do mapa", impulsos de autoflagelo, timidez, atitudes antissociais e toda sorte de pensamentos, sentimentos e comportamentos autodestrutivos. A vergonha também pode se expressar de maneira compensatória na forma de perfeccionismo, criticismo, intolerância, crueldade e obsessão por controle.

COCRIADOR DA REALIDADE

> **REFLEXÃO VOCÊ VIBRA NA VERGONHA?**
>
> - Você tem vergonha de não ter dinheiro para honrar seus compromissos? De negociar suas dívidas? De dar uma satisfação a seus credores?
> - Você tem vergonha de cobrar quem lhe deve? De cobrar pelos seus serviços?
> - Você tem vergonha de quem você é? Da situação em que se encontra? Dos erros que já cometeu? Do seu passado?
> - Você tem vergonha da sua casa? Do seu carro? De andar de ônibus? Das suas roupas? Até do seu cachorro mal-educado?
> - Você tem vergonha dos seus pais? Dos seus filhos? Do seu/sua companheiro(a)? Do seu país? Do governo?
> - Você tem vergonha de expressar seus sentimentos, limites e necessidades? Da sua orientação sexual? Do seu corpo?

Culpa (30 Hz) – A pessoa que vibra na culpa tem uma tendência fortíssima à vitimização em todas as suas formas de expressão, permeada por sentimentos corrosivos de remorso, arrependimento, preocupação com o "pecado" e, como na vergonha, é repleta de pensamentos suicidas e autodestrutivos. A culpa desencadeia comportamentos de autopunição, masoquismo, autorrecriminação e moralismo. Muitas vezes, também se expressa projetando nos outros controle e manipulação, inclusive com inclinações para a agressividade, violência e até mesmo atitudes homicidas.

> **REFLEXÃO VOCÊ VIBRA NA CULPA?**
>
> - Você sente culpa por querer realizar seus sonhos materiais sabendo que tem tanta gente passando fome no mundo?
> - Você se sente culpado(a) quando seus filhos pedem alguma coisa e você não tem dinheiro para dar?
> - Você se sente culpado(a) por não dar atenção suficiente para seus filhos? Para seus pais?
> - Você se sente culpado(a) por não fazer atividades físicas? Por estar acima do peso? Quando come demais? Quando dorme demais?
> - Você se sente culpado(a) por já ter cometido um erro irreparável? Acha que é um(a) pecador(a) que merece ir para o inferno?

> - Você se sente culpado(a) pelo fim de um relacionamento? De uma amizade? De um contrato de trabalho?
> - Você se sente culpado(a) quando compra alguma coisa para você? Quando se diverte? Quando se masturba? Quando tem um orgasmo?

Apatia (50 Hz) – O nível da apatia se expressa em sentimentos crônicos de escassez, desespero, pobreza, vitimização, carência, dependência e a mais absoluta falta de esperança. Vibrando na apatia, a tendência é a depressão e o sentimento de que sua existência é um fardo para a família e para a sociedade, bem como pensamentos de que seus problemas não têm solução, de que não existem recursos suficientes e de que sua vida e o mundo não têm jeito. Na apatia, a pessoa não consegue vislumbrar qualquer possibilidade de mudança, de melhoria ou de crescimento e, mesmo quando surge alguma oportunidade, não tem energia para agir e apresenta objeções para mudanças.

> **REFLEXÃO VOCÊ VIBRA NA APATIA?**
> - Você fica paralisado(a) quando tem muitas contas para pagar e não tem dinheiro suficiente?
> - Você perdeu a esperança de melhorar sua situação financeira? De melhorar sua saúde? De melhorar seu relacionamento?
> - Você não sabe o que fazer quando vislumbra o longo e árduo caminho que tem de percorrer para conseguir o que deseja?
> - Você não tem a menor ideia sobre por onde começar sua mudança e até duvida que seja possível mudar?
> - Você fica apático(a) por não saber o que fazer para recuperar sua saúde? Em quais momentos cogita a possibilidade de não se curar?
> - Você trava quando se sente desrespeitado(a)? E quando não consegue atenção? E quando as pessoas parecem não o entender?

Tristeza (75 Hz) – Vibrando neste nível de consciência, a pessoa se acomoda na percepção de que a dor, as perdas, o sofrimento e o fracasso são normais e inevitáveis. A vibração da tristeza está associada a sentimentos de desânimo, melancolia, nostalgia, luto crônico, pessimismo, remorso, depressão e similares. Na tristeza, a pessoa vê a vida em preto e branco, é incapaz de sorrir ou se divertir, sempre vê o lado negativo das coisas e o que está faltando.

> **REFLEXÃO VOCÊ VIBRA NA TRISTEZA?**
> - Você sofre porque não tem dinheiro suficiente? Porque tem dívidas? Porque sente que o dinheiro voa?
> - Você considera a dor física um grande sofrimento? E perdas materiais? E as financeiras?
> - Você ainda está de luto e chora a morte de uma pessoa querida que faleceu há mais de cinco anos?
> - Você pensa na sua infância/adolescência com pesar? Com pena de si mesmo(a)?
> - Normalmente, você tem a sensação de que nada dá certo para você?
> - Você se sente limitado(a)?
> - Você sofre por não poder fazer ou ter tudo o que gostaria?
> - Você tem a impressão de que ninguém o ama de verdade? Que você dá muito mais que recebe? Que você está sozinho(a) na vida?

Medo (100 Hz) – No nível do medo, predominam sentimentos de insegurança, estresse crônico, exaustão e inibição; o medo paralisa e impede qualquer ação que poderia promover algum tipo de crescimento ou elevação da consciência. A pessoa sente-se constantemente ameaçada e vê o mundo como perigoso e ameaçador, por isso, tem uma tendência ao pessimismo, a vislumbrar os cenários mais catastróficos e a se preparar para os piores desfechos possíveis. Outro aspecto das pessoas que vibram no medo é que, por se sentirem em constante perigo, têm uma inclinação a renunciar sua autonomia e a entregar sua vida à gestão de alguém ou alguma instituição governamental, política ou religiosa.

> **REFLEXÃO VOCÊ VIBRA NO MEDO?**
> - Você tem medo de ganhar muito dinheiro, não saber o que fazer e acabar perdendo tudo? Ou das pessoas começarem a lhe pedir empréstimos? Ou sentirem inveja de você?

FUNDAMENTOS DA HOLO COCRIAÇÃO®

- Você tem medo de ficar pobre? De ficar doente? De morrer? De nunca encontrar sua alma gêmea?
- Você pensa e fala coisas como "para morrer, basta estar vivo"?
- Você acha que a pandemia, guerras, violência e as crises econômicas vão chegar a níveis insuportáveis?
- Você acha que a qualquer momento seu marido/esposa/sócio/filho vai aprontar, o enganar ou trair?
- Você guarda dinheiro porque a qualquer momento pode surgir uma emergência?
- Você gostaria de ter um bunker no quintal da sua casa?
- Você tem medo de perder as pessoas que ama? De perder seu emprego? Sua saúde?

Desejo (125 Hz) – Apesar de ainda ser uma frequência baixa, quando comparado com a vergonha, culpa e apatia, o desejo já pode ser considerado como um estado mais elevado, no qual a pessoa começa a ter energia para querer e efetivamente realizar algo. Contudo, o desejo normalmente se expressa na forma de dependências, vícios e compulsões, de modo que a pessoa tem a percepção de que sua felicidade é condicionada a obtenção de algo externo. O desejo se relaciona aos caprichos insaciáveis do ego, àquele eterno sentimento de insatisfação e de busca por mais e mais, o que conduz a comportamentos de ganância, egoísmo e acumulação. Ainda assim, o desejo, quando bem direcionado, pode servir de motivação para alcançar objetivos e até para ascender a níveis mais elevados de consciência.

REFLEXÃO VOCÊ VIBRA NO DESEJO?

- Você tem alguma dependência ou vício nocivo? Cigarro? Bebida? Drogas? Jogo? Comida? Compras? Sexo? Pornografia? Medicamentos controlados?
- Você faz coleção de alguma coisa e acha que ainda não tem itens o suficiente?
- Você se sente frustrado(a) quando vê alguém comprando ou fazendo algo que é impossível para você no momento?

- Você nunca está satisfeito(a) com a quantidade de roupas, sapatos, brincos, relógios etc. que você tem? Você nunca está satisfeito com sua aparência? E com o governo?
- Você tem um sentimento quase constante de que está faltando algo na sua vida para você se sentir feliz?
- Você acha que não conseguiria sobreviver se seu marido/sua esposa o deixasse?

Raiva (150 Hz) – A raiva, que normalmente decorre de um desejo não satisfeito, é uma energia em movimento que tanto pode se expressar de maneira destrutiva quanto construtiva. Em seu aspecto destrutivo, o mais comum, a raiva se apresenta na forma de sentimentos de mágoa, ressentimento, vingança, irritação, conflito, agressividade e, em último caso, de ódio. Já em seu aspecto construtivo, a raiva se torna motivação para agir no sentido de buscar a liberdade, o bem-estar e a plena satisfação das necessidades.

REFLEXÃO VOCÊ VIBRA NA RAIVA?

- Você acha que gente rica é arrogante? Você tem nojo de gente rica e arrogante?
- Você se irrita com vendedores insistentes? E líderes religiosos fervorosos? E políticos supostamente corruptos?
- Você tem raiva de gente que reclama, julga, critica e vitimiza?
- Você tem vontade de se vingar de alguém que o sacaneou? Você já desejou dar uma surra nessa pessoa ou contratar alguém para fazer isso? Já desejou que a pessoa morresse? Já teve vontade de você mesmo matar a pessoa?
- Você se torna agressivo quando alguém tenta impor alguma coisa e só percebe a atitude muito tempo depois?
- Você já sentiu raiva de Deus? E de você mesmo(a)? E dos seus pais?
- Você odeia gente folgada e mal-educada? Odeia um determinado artista ou político? Você se odeia?
- Você tem tanta raiva de uma pessoa que o ofendeu que está fazendo de tudo para dar a volta por cima só para mostrar que ela estava errada?

Orgulho (175 Hz) – No nível do orgulho, sentimentos de vergonha, culpa, desespero e medo são dissipados e a pessoa começa a se sentir mais positiva, mais confiante, com um considerável aumento em sua autoestima. Ainda assim, o orgulho continua sendo considerado uma frequência baixa e pode facilmente se converter em arrogância, egoísmo, reatividade e intolerância; o ego de quem vibra no orgulho é extremamente vulnerável a ataques e conflitos, por isso está constantemente na defensiva, o que, com facilidade, pode levá-lo de volta para níveis mais baixos como a raiva, o medo ou a vergonha. No orgulho, a pessoa ainda tem seus pensamentos, sentimentos e comportamentos determinados pelas circunstâncias externas, isto é, está sempre na reação e na justificação. O orgulho é o nível de consciência predominante em todas as formas de fanatismo e segregação – religiosa, política, nacionalista, racista etc.

> **REFLEXÃO VOCÊ VIBRA NO ORGULHO?**
> - Você repete frases como "sou pobre, mas sou honesto"?
> - Você prefere passar fome a pedir ajuda financeira para sua família? Você prefere morrer a parar de fumar?
> - Você se orgulha de ter feito muito esforço para conquistar o patrimônio que tem hoje?
> - Você se acha ligeiramente superior aos demais porque é vegano/ doutor/ espiritualizado/ atleta ou por qualquer outro motivo que o diferencie?
> - Você sente que age do jeito certo, mas tem sempre alguém que aparece para questionar, criticar e complicar tudo?
> - Você tem a impressão de que as outras pessoas não se esforçam como você quando está trabalhando em grupo?
> - Você tem total certeza de que seu nível de consciência é mais elevado do que o dos seus pais?
> - Você já entrou em uma briga por causa de futebol, religião ou política?
> - Você "dança conforme a música", ou seja, trata bem quem lhe trata bem e trata mal quem lhe trata mal? Acha que essa é a forma mais inteligente de se relacionar?

Coragem (200 Hz) – De acordo com o dr. Hawkins, a coragem é o nível crítico que separa as frequências negativas das positivas, pois é a partir dela que a pessoa deixa de ver a vida como triste ou ameaçadora e passa a vê-la como desafiadora, estimulante e excitante. Vibrando na coragem, a pessoa tem energia para aprender e experimentar coisas novas, lidar bem com os desafios da vida e começar a perceber os obstáculos como oportunidades instigantes para o crescimento. A título de curiosidade, a coragem é o nível de consciência da humanidade enquanto coletividade, que está em aproximadamente 204 Hz.

> **REFLEXÃO** **VOCÊ VIBRA NA CORAGEM?**
> - Você se sente inspirado(a) para encarar qualquer novo trabalho ou desafio? Para voltar a estudar? Para buscar novas fontes de renda? Para se entregar em um novo relacionamento?
> - Você está disposto a reconhecer e eliminar suas crenças limitantes?
> - Você acorda todas as manhãs se sentindo cheio(a) de energia para trabalhar ou estudar?
> - Você é aberto para experimentar coisas novas? Para fazer novas amizades? Tem disposição para mudar a rotina?
> - Você tem coragem para assumir seus erros e corrigi-los?
> - Quando algo não dá certo, você se sente instigado a insistir e procurar uma maneira de fazer rolar?
> - Você usa frases como "se a vida me dá limões, eu faço uma limonada"?

Neutralidade (250 Hz) – A partir da neutralidade, a pessoa acessa um estado de consciência em que se sente mais segura emocionalmente e é cada vez menos influenciada pelas circunstâncias externas, abandonando aquela percepção de estar constantemente sob ameaça e saindo do padrão da reatividade do ego. A neutralidade se expressa sobretudo pela flexibilidade, pelo não julgamento, pela capacidade de avaliação realista dos problemas e pela necessidade de não controlar tudo e todos.

FUNDAMENTOS DA HOLO COCRIAÇÃO®

> **REFLEXÃO VOCÊ VIBRA NA NEUTRALIDADE?**
>
> - Você está disposto(a) a tentar, mas não tem certeza se vai conseguir?
> - Quando algo não dá certo, você tem pensamentos como "não era pra ser" ou "foi melhor assim"?
> - Você se considera uma pessoa pouco ambiciosa e não precisa de muito para se sentir satisfeito(a)?
> - Você se sente razoavelmente imune às provocações que recebe no trânsito? E às provocações dos seus filhos? E dos seus pais?
> - Você não se abala diante de um problema e consegue manter a calma para resolver?
> - Você não faz mal para ninguém, mas também não sai por aí oferecendo ajuda e distribuindo simpatia?
> - Em um relacionamento, se a pessoa não lhe trair nem lhe roubar, você já fica satisfeito(a)?

Boa Vontade e Disposição (310 Hz) – Neste nível de consciência, a energia positiva se eleva ainda mais e se abre um portal para acessar os níveis de consciência superiores. Marcado pela disposição para o autoconhecimento, aprendizado, melhoria dos relacionamentos, para ser mais atencioso com as necessidades dos outros, contribuir com a coletividade e para começar do zero a busca pela realização de seus sonhos. É neste nível que o fluxo do dinheiro e da abundância financeira começa a circular pela vida da pessoa e a se intensificar à medida que ela trabalha e se dedica a elevar sua consciência em direção à vibração da alegria.

> **REFLEXÃO VOCÊ VIBRA NA BOA VONTADE?**
>
> - Você acha que pode usar sua criatividade para inventar uma nova forma de ganhar dinheiro?
> - Você sente que deve investir mais na sua educação e capacitação profissional para melhorar sua renda?
> - Você pesquisa e se informa a respeito do mercado em que atua?
> - Você sente prazer em traçar suas metas de longo prazo e ao começar a executar pequenas ações em direção ao seu objetivo?

- Você se sente cada vez mais consciente de seus padrões automáticos? Sente que está gradativamente mais no controle e que é capaz de inibir determinadas reações?
- Você se sente cada vez mais interessado(a) em buscar o autoconhecimento?
- Você está 100% comprometido(a) com a mudança que deseja? Com a realização do seu sonho?
- Você está disposto(a) a fazer sua parte para que seus relacionamentos sejam felizes e saudáveis?
- Você sente a necessidade de ser útil e contribuir com a sociedade de alguma maneira?

Aceitação (350 Hz) – Quando uma pessoa acessa o nível de consciência da aceitação, ocorre uma "virada de chave", uma grande transformação pela qual ela compreende em todo o seu ser que é 100% responsável por tudo o que lhe acontece na vida, de modo que se empodera e entra na vibração da harmonia. Na aceitação, ela finalmente entende que absolutamente nada nem ninguém tem o poder de lhe fazer feliz ou infeliz e que tudo o que é criado em sua realidade externa é um reflexo de seu estado interno, de seu próprio nível de consciência. A aceitação se caracteriza, sobretudo, pelo equilíbrio, pela tolerância e pela consciência de que a igualdade não se opõe a diversidade. A pessoa que vibra na aceitação não quer mais briga com ninguém, nem faz questão de ter sempre razão; ela abandona completamente o julgamento e a vitimização, perdoando e liberando a todos que passaram por sua vida.

REFLEXÃO VOCÊ VIBRA NA ACEITAÇÃO?

- Você entende que é 100% responsável por sua felicidade e sucesso? Entende que cria sua realidade de dentro para fora?
- Você se sente em paz com seu passado? Com seus erros? Com seus pais? Com quem o prejudicou?
- Você compreende que não pode mudar o passado, mas que o futuro está em suas mãos?
- Você reconhece que precisa se dedicar, se cuidar e se trabalhar para alcançar o sucesso que deseja?

FUNDAMENTOS DA HOLO COCRIAÇÃO®

- Você se aceita, se perdoa e se ama completamente do jeito que é?
- Você não só perdoou, mas também consegue emanar amor e desejar o bem de quem o ofendeu, traiu, enganou etc.?
- Você se reconhece como uma Centelha Divina? Você reconhece que a Mente de Deus está na sua mente?
- Você prefere ser feliz a ter razão?

Razão (400 Hz) – O nível da razão é considerado um nível de consciência superior, em que a pessoa acessa todo potencial de sua capacidade intelectual, considera o conhecimento como um patrimônio, tornando-se capaz de tomar decisões rápidas e acertadas, de lidar com situações complexas, com símbolos e conceitos abstratos e de compreender as sutilezas dos relacionamentos. Paradoxalmente, a razão, quando excessiva, torna-se um obstáculo à escalada para os níveis ainda mais elevados, uma vez que a pessoa pode ficar presa aos encantos da intelectualidade e do conhecimento estritamente científico. Conforme as calibragens feitas pelo dr. Hawkins, grandes cientistas da humanidade como Einstein, Newton e Freud vibravam na razão.

REFLEXÃO VOCÊ VIBRA NA RAZÃO?

- Você entende que, para alcançar seus objetivos, precisa se planejar, traçar metas e executar as ações necessárias?
- Você entende a importância de investir no seu desenvolvimento pessoal, intelectual e profissional?
- Você acredita que conhecimento é poder?
- Você acredita que com foco, disciplina e conhecimento é possível realizar qualquer objetivo?
- Você é capaz de tomar decisões rápidas e sábias mesmo sob pressão?
- Você acredita que relacionamentos são como contratos em que ambas as partes têm direitos e obrigações?
- Você sente a necessidade de entender e analisar todas as coisas e situações?
- Você tem prazer ao ler textos científicos com linguagem acadêmica?

Amor (500 Hz) – A consciência do amor se caracteriza pela transcendência da razão, que cede lugar à emanação incondicional de amor por todos os seres e tudo o que existe; a pessoa transcende o estritamente racional, mental e intelectual e acessa a sabedoria do coração, de modo que todo e qualquer resquício de negatividade é dissolvido, e ela passa a experimentar a plenitude e a felicidade. O nível do amor se caracteriza por sentimentos de perdão, bondade, compaixão, solidariedade, empatia e cuidado com os outros. Vibrando no amor, a pessoa compreende intuitivamente a Totalidade, o Divino.

> **REFLEXÃO VOCÊ VIBRA NO AMOR?**
> - Você ama tanto seu trabalho que o faria mesmo se não houvesse remuneração?
> - Você sente que sua vida tem um propósito e é grato(a) por isso?
> - Você ama ganhar dinheiro e fazê-lo circular?
> - Você ama seu corpo, apesar das limitações? Apesar do sobrepeso?
> - Você é grato pelas eventuais doenças, dificuldades e relacionamentos desafiadores, porque sabe que eles existem para o seu aprendizado, cura e crescimento?
> - Você se ama incondicionalmente e reconhece o Divino em você?
> - Você sente compaixão por todas as pessoas porque enxerga o Divino nelas? Até mesmo pelas pessoas arrogantes ou criminosas de todos os níveis?
> - Você se sente incompleto se não ajudar alguém todos os dias?
> - Você é feliz?

Alegria (540 Hz) – A partir da vibração do amor incondicional, logo em seguida na escala da consciência está a frequência da alegria, que se expressa pela paciência, pelas atitudes positivas, pela leveza e serenidade para lidar com os problemas da vida e, especialmente, pela compaixão plena. Vibrando na alegria, a pessoa enxerga a beleza, a harmonia, a perfeição e a abundância do Criador em tudo à sua volta, sentindo-se inspirada a colocar seu nível de consciência elevado a serviço da humanidade. É a frequência do Criador e, por isso, também é a frequência dos milagres e da cura.

FUNDAMENTOS DA HOLO COCRIAÇÃO®

> **REFLEXÃO VOCÊ VIBRA NA ALEGRIA?**
>
> - Nada tira sua paz? Nada mesmo? Nem o trânsito? Nem a corrupção? Nem a crise?
> - Você se sente conectado(a) com todos e se sente inspirado(a) a colocar seu nível de consciência elevado a serviço da humanidade?
> - Você se sente em constante conexão com a energia do Criador?
> - Você enxerga beleza, harmonia e abundância em tudo?
> - Você é capaz de apreciar a abundância e a prosperidade à sua volta sem sentir a necessidade de possuir essas coisas?
> - Você se sente completo(a) e abundante em todos os sentidos?
> - Você se sente grato(a) pelo simples fato de estar vivo(a)? Por sua saúde? Por seu trabalho? Por ser quem é? Por sua família? Por sua casa? Pelo ar que respira? Por tudo, tudo mesmo?
> - Você expressa essa gratidão todos os dias, a todo momento?
> - Você entende que o dinheiro é energia e ferramenta de realização?
> - Você admira, aprecia e contempla a natureza? Sente-se perplexo diante da abundância do Universo?
> - Você consegue ter consciência de que é uma consciência? Você consegue se manter no silêncio? Aproveitar o momento presente?
> - Você desenvolveu a habilidade de rir dos seus problemas e dos "pitis" do seu ego?

Paz (600 Hz) – A consciência da paz se caracteriza pela total transcendência das necessidades do ego e das religiões, pela autorrealização, silêncio, conexão com o momento presente, estado de bem-aventurança, pelo fim da percepção de separação e dualidade e pela percepção de unidade com o Todo. É um nível extremamente raro de ser atingido, e as poucas pessoas que o alcançam normalmente se retiram da vida em sociedade.

> **REFLEXÃO** **VOCÊ VIBRA NA PAZ?**
> - Você se sente em constante equilíbrio, fluidez e harmonia?
> - Você percebe seu corpo como algo sagrado? Sente o Divino agindo nele e através dele?
> - Você está em paz com todas as pessoas e coisas da Terra?
> - Você deixou de ter necessidades pessoais? Deixou de precisar ter coisas?
> - Você tem prazer infinito ao meditar e silenciar?
> - Você compreendeu que a única utilidade do seu nível de consciência elevado é ajudar as outras pessoas a também elevarem suas consciências?
> - Você sente um estado permanente de graça e bem-aventurança?

Iluminação (700 a 1000 Hz) – Os níveis acima de 700 Hz se caracterizam pela perda da noção do "eu" enquanto consciência individual, pois ficam em completa fusão com a Consciência do Todo. É o retorno à Casa do Pai, o ápice da evolução da consciência humana, um estado de graça divina e paz infinita impossível de ser descrito com palavras. O nível da iluminação foi alcançado pelos grandes avatares da história da humanidade, como Jesus, Buda, Krishna e Maomé.

> **REFLEXÃO** **VOCÊ VIBRA NA ILUMINAÇÃO?**
> - Você se sente um com o Criador?
> - Você entende que seu corpo físico é apenas um invólucro material momentâneo da sua consciência eterna, que é a própria Consciência de Deus?
> - Você fala com Deus e Ele com você a todo momento? Com a consciência de Jesus? De Buda? De Krishna? De Maomé? E entende que tudo é uma consciência só?
> - Você entendeu que a morte é uma ilusão? Entendeu que a vida é um sonho? Entendeu que o outro não existe?
> - Você pensa e cria? Você opera milagres?

FUNDAMENTOS DA HOLO COCRIAÇÃO®

AUTOCONHECIMENTO E IDENTIFICAÇÃO DE EMOÇÕES

Este exercício vai lhe ajudar a identificar seus sentimentos e emoções. Ter consciência sobre sua consciência é o primeiro passo para a mudança! Vamos trabalhar uma emoção por dia durante oito dias, assim você vai refletir e escrever sobre a presença de cada emoção na sua consciência:

DIA 1 – VERGONHA
- Do que eu tenho vergonha?
- De quem eu sinto vergonha?
- Quando eu era criança, eu sentia vergonha do quê?
- Qual foi a última vez em que senti vergonha?
- Como eu expresso minha vergonha?
- Quais são os meus sentimentos que decorrem da vergonha?
- O que eu poderia fazer para mudar isso em mim?

DIA 2 – CULPA
- De que eu sinto culpa, remorso ou arrependimento?
- Por quem eu me sinto culpado(a)?
- Eu acho que mereço punição pelo que fiz?
- Quando eu era criança, pelo que eu sentia culpa?
- Qual foi a última vez em que me senti culpado(a)?
- Como eu expresso minha culpa?
- Quais são os meus sentimentos que decorrem da culpa?
- O que eu poderia fazer para mudar isso em mim?

DIA 3 – TRISTEZA
- Quando eu me sinto triste?
- Por que eu me sinto triste?
- Quando eu era criança, pelo que eu sentia tristeza?
- Qual foi a última vez em que senti tristeza?
- Como eu expresso minha tristeza?
- Quais são os meus sentimentos que decorrem da tristeza?
- O que eu poderia fazer para mudar isso em mim?

DIA 4 – MEDO
- De que eu sinto medo?
- Por que eu sinto medo?

EXERCÍCIO

EXERCÍCIO

- Quando eu era criança, de que eu tinha medo?
- Qual foi a última vez em que senti medo?
- Como eu expresso meu medo?
- Quais são os meus sentimentos que decorrem do medo?
- O que eu poderia fazer para mudar isso em mim?

DIA 5 – RAIVA
- De que eu sinto raiva?
- De quem eu sinto raiva?
- Por que eu sinto raiva?
- Quando eu era criança, de que ou quem eu tinha raiva?
- Qual foi a última vez em que senti muita raiva?
- Como eu expresso minha raiva?
- Quais são os meus sentimentos que decorrem da raiva?
- O que eu poderia fazer para mudar isso em mim?

DIA 6 – ACEITAÇÃO E PERDÃO
- O que na minha vida eu preciso aceitar?
- Quem ou o que eu preciso perdoar?
- Por que eu perdoaria?
- Quando eu era criança, o que eu não conseguia aceitar?
- Como eu expresso a resistência e o controle?
- Quais são os sentimentos que decorrem da aceitação e do perdão?
- O que eu ganho ao aceitar aquilo que não posso mudar?
- O que eu poderia fazer para aceitar o que me aconteceu?

DIA 7 – AMOR
- Quem eu amo?
- O que eu amo?
- Por que eu amo?
- Quando eu era criança, o que e quem eu mais amava?
- Eu me sinto amado(a)?
- Eu me amo?
- Qual meu nível de amor incondicional?
- Qual foi a última vez em que senti amor?
- Como eu expresso meu amor?
- Quais são os meus sentimentos que decorrem do amor?
- O que eu poderia fazer para sentir e emanar mais amor?

FUNDAMENTOS DA HOLO COCRIAÇÃO®

> **EXERCÍCIO**
>
> **DIA 8 – ALEGRIA**
> - Quando eu sinto alegria?
> - O que me faz sentir alegria?
> - Eu sinto alegria na maior parte do tempo?
> - Eu preciso que alguém me faça feliz?
> - Minha alegria desaparece diante de problemas?
> - Quando eu era criança, quando, como e por que eu sentia alegria?
> - Qual foi a última vez em que senti alegria?
> - Como eu expresso minha alegria?
> - Quais são os meus sentimentos que decorrem da alegria?
> - O que eu poderia fazer para sentir e emanar mais alegria?
>
> A partir das suas respostas, perceba seu nível de consciência predominante e se coloque na missão da auto-observação diária! E o mais importante: a partir da sua resposta para a última pergunta de cada item, comece a AGIR!

c) Percepção da realidade

O nível de consciência no qual você vibra predominantemente funciona como "lentes" pelas quais você enxerga, percebe, interpreta e interage com a realidade. Basicamente, você só consegue ver a realidade a partir da sua própria consciência, de modo que, quanto mais baixo o nível de consciência, mais irá enxergar escassez, violência, tristeza e perigo, enquanto em níveis de consciência elevados (500 Hz ou mais), você só vai enxergar beleza, alegria e abundância.

Por exemplo, imagine a cena: um mendigo maltrapilho se aproxima dos carros parados no sinal vermelho para pedir um trocado. Cada pessoa, em cada carro, vai interpretar a situação e reagir a ela conforme seu nível de consciência:

NÍVEL DE CONSCIÊNCIA	INTERPRETAÇÃO DA CENA
Vergonha	"Que vergonha um homem ter que pedir esmola para sobreviver!"
Culpa	"Ele deve estar pagando seus pecados."
Apatia	"A situação dos moradores de rua realmente é um caso sem solução."
Tristeza	"Que sofrimento uma situação dessas!"
Medo	"Acho que ele vai me assaltar."
Desejo	"Por que o governo não resolve essa situação?"
Raiva	"Um homem forte assim, devia era estar trabalhando!"
Orgulho	"Que absurdo a pessoa chegar em uma situação dessas."
Neutralidade	"Ele está só pedindo um trocado, não está prejudicando ninguém."
Coragem	"Tudo que ele precisa é de uma oportunidade."
Boa vontade	"Vou ajudá-lo."
Aceitação	"Certamente deve ter um motivo para chegar a essa situação."
Razão	"Ele deveria procurar um abrigo ou pedir ajuda ao governo."
Amor, Alegria, Paz e Iluminação	"Eu vejo o Divino nesse homem."

Em todos os casos, o mendigo é a mesma pessoa, mas as interpretações variam de acordo com o nível de consciência de cada observador. Esse é apenas um exemplo simples; porém, a mesma lógica se aplica para tudo em nossas vidas, o tempo todo, de modo que só nos resta aceitar a possibilidade de que a realidade, eventualmente, não seja como a percebemos, e que exista algo além.

A questão é que nos níveis de consciência mais baixos (inferiores a 200 Hz), a pessoa tem certeza de que o mundo é como ela o percebe, mesmo quando as interpretações são ilógicas ou irracionais. Nem passa por sua cabeça que a realidade é subjetiva, uma projeção de sua própria consciência.

Assim, as pessoas se comportam condicionadas ao seu nível de verdade e acreditam que a sua "verdade" é a realidade última, motivo pelo qual há tanto desentendimento, violência, conflitos e guerras no mundo.

FUNDAMENTOS DA HOLO COCRIAÇÃO®

> **EXERCÍCIO**
>
> Imagine uma bela moça ao lado de uma Ferrari. Essa moça conseguiu comprar um carro luxuoso porque ela é:
>
> a) Prostituta de luxo
> b) Filhinha de papai
> c) Casada com um velho bilionário
> d) Esposa de um político corrupto
> e) Profissional extremamente bem-sucedida
> f) O carro não é dela, ela só tirou a foto com ele para enganar as pessoas
> g) _____ (o que você pensou?)
>
> Reflita sobre sua resposta, ela é uma pista sobre seu nível de consciência!

Ok, Elainne, mas como transcender a perspectiva limitada dos níveis de consciência inferiores? Essa é uma ótima pergunta e tem uma resposta simples e elegante: neutralize sua mente e não permita que ela seja a "dona da verdade".

Vou explicar com um exemplo: imagine uma pessoa que está desempregada, sem dinheiro e cheia de dívidas, vibrando angústia e desespero. Conforme o nível de consciência da pessoa, vão surgir pensamentos como estes:

- Eu sou miserável;
- Cheguei ao fundo do poço;
- Vou morar embaixo da ponte;
- Minha família vai passar fome;
- Não tenho a menor chance de conseguir trabalho;
- Não vejo mais sentido em minha vida.

Se essa pessoa se ligar de que está tendo esses pensamentos preocupantes e está enxergando a realidade dessa maneira por conta do próprio nível de consciência, então pode se colocar como observadora da própria mente e começar a questionar a validade de sua percepção de escassez e miséria, de modo que podem surgir novos pensamentos, como:

- Pelo menos eu tenho saúde, tenho dois olhos, dois braços e duas pernas;
- Ainda bem que oxigênio é gratuito;
- Não, eu não estou no fundo do poço, e não vou morrer por isso;
- Eu tenho minha família;
- Eu tenho roupas;
- Eu vou deixar meu currículo em várias empresas;
- Tem gente que já esteve em situação pior e deu a volta por cima, então eu tenho chances;
- Ah, eu sei fazer brigadeiro, vou usar esses 20 reais que tenho para comprar material para fazer e vou vender... Claro! Todo mundo ama brigadeiro! Com certeza vou vender superbem!

EXERCÍCIO

OBJEÇÃO DA OBJEÇÃO

Como no exemplo anterior, liste cinco objeções que sua mente lhe apresenta para a realização dos seus sonhos e, em seguida, argumente com sua mente, apresente objeções às objeções, o que também pode ser chamado de SOLUÇÃO!

Objeções:
1. _____
2. _____
3. _____
4. _____
5. _____

Objeções às objeções – Soluções!
1. _____
2. _____
3. _____
4. _____
5. _____

FUNDAMENTOS DA HOLO COCRIAÇÃO®

Talvez você já tenha me ouvido contar um trecho da minha história, o momento em que falo sobre as várias vezes em que abri minha geladeira e ela estava vazia. Na época em que isso aconteceu, minha consciência de vítima desesperada que estava vibrando abaixo de 100 Hz só conseguia enxergar escassez e pobreza – sentia-me angustiada por não ter alimentos para meus filhos e pensava que a única saída era a morte.

Contudo, quando entendi que eu era 100% responsável e que minha vibração criava minha realidade, comecei a virar a chave – eu abria minha geladeira vazia e, em vez de enxergar a escassez de alimento, treinei-me para enxergar e agradecer a grande bênção que é ter uma geladeira e energia elétrica (quanta gente não tem, não é?).

Claro, nas primeiras vezes é muito esquisito, é um esforço, pois a mente resiste em enxergar a realidade com lentes diferentes das que ela está acostumada. Especialmente quando sua barriga está roncando de fome, não parece lógico nem natural agradecer por uma geladeira vazia, mas eu agradecia mesmo assim. Eu renunciei aos julgamentos da minha mente, passei por cima do meu ego, do controle e da vaidade. Eu me recusei a ver a vida com os óculos da escassez e me treinei para ver a vida com os óculos da abundância e da gratidão.

Foi assim que mudei minha própria consciência e, de dentro para fora, moldei, gradualmente, a realidade dos sonhos em que vivo hoje. E a história da geladeira é só um exemplo, pois na verdade eu me condicionei a enxergar abundância e prosperidade em tudo aquilo em que antes eu enxergava escassez e falta; eu troquei as reclamações sobre o que eu não tinha pelos agradecimentos por tudo o que tinha e não estava percebendo, porque minha consciência de vítima não me permitia ver.

ORAÇÃO DA POSITIVIDADE

Neste exato momento, eu, (falar seu nome), quero modificar todos os meus padrões mentais, permitindo que a luz do Criador penetre em cada célula do meu corpo, despertando o verdadeiro amor.

A partir deste momento, eu, (falar seu nome), sou um novo ser.

Iluminado(a) pela prosperidade, pela abundância, pela beleza, pelo encantamento e pelo amor do Criador, presente em cada célula do meu corpo.

> *Eu sou forte. Eu sou amor. Eu sou Luz.*
> *Eu mereço, porque sou filho(a) de Deus.*
> *Eu mereço, porque a luz está dentro de mim, em cada célula do meu corpo e em cada pensamento.*
> *Eu mereço, porque tenho amor dentro de mim.*
> *Eu mereço, porque sou luz.*
> *Eu mereço, porque sou prosperidade.*
> *Eu mereço, porque sou pleno(a) de amor.*
> *Eu mereço.*
> *Eu agradeço!*

Como o dr. Hawkins explica brilhantemente, grandes saltos de consciência ocorrem quando somos capazes de renunciar ao controle e a ilusão de "eu sei como as coisas são, isso é assim e pronto", pois tudo o que a mente acredita como verdade absoluta em um determinado nível de consciência é desconstruído e perde a validade nos níveis mais elevados.

O mais incrível e perfeito de tudo isso é que você não precisa esperar descer ao fundo do poço ou vivenciar uma grande tragédia para elevar o nível da sua consciência – pode começar a fazer isso agora mesmo! Aliás, o melhor momento é sempre agora!

O processo para fazer isso é muito simples: adquira o hábito da auto-observação, torne-se consciente de que é consciente, observe sua mente, seus pensamentos, seus sentimentos, seus julgamentos, suas reclamações, suas percepções e seus comportamentos. Cogite fortemente a possibilidade da existência de outras verdades além da sua verdade, pois o ego que é observado se torna mais humilde e menos autoritário.

d) Frequência da Cocriação

Antes de começar a falar sobre a Frequência Vibracional® necessária para a cocriação dos seus sonhos, proponho mais um exercício de reflexão e autoconhecimento:

FUNDAMENTOS DA HOLO COCRIAÇÃO®

> **EXERCÍCIO**
>
> **O QUE FAZ VOCÊ FELIZ?**
>
> Responda por escrito a estas perguntas:
>
> - O que é felicidade para você?
> - O que é importante para você hoje?
> - O que faz com que você sinta felicidade?
> - Você é feliz hoje?
> - O que está faltando para você se sentir feliz?
>
> Em seguida, leia o que você escreveu, observe como se sente e responda:
>
> - O que o está impedindo de ser feliz hoje?
> - Você tem medo de quê?
> - O que você ganha não sendo feliz?
> - Quais foram seus sentimentos ao ler suas respostas?
>
> Com esse exercício simples, você já pode identificar alguns de seus padrões de pensamentos, crenças, medos e bloqueios. Quando você coloca no papel como pensa e como se sente, materializa seu nível de consciência e se torna capaz de observá-lo. É assim que, gradualmente, você sai do modo "piloto automático" dos comportamentos inconscientes e assume o controle do seu destino!

Com base em tudo o que expliquei até agora, e como você talvez já até tenha intuído, a cocriação de sonhos é absolutamente impossível nos níveis de consciência abaixo de 200 Hz, isto é, abaixo do nível da energia da coragem, que são as frequências da vergonha, culpa, apatia, medo, desejo, raiva e orgulho e toda gama de pensamentos, sentimentos e comportamentos associados a essas emoções, sobretudo, a vitimização.

Entre os níveis 200 e 310 Hz, vibrando nas frequências da coragem, da neutralidade ou da boa vontade, o despertar começa e a pessoa torna-se capaz de questionar a si mesma, as próprias crenças e percepções, sentindo-se motivada a sair de sua zona de conforto e abrindo-se para a mudança.

Apesar de ainda não estar na Frequência Vibracional® ideal para cocriar seus sonhos, nestes níveis você já deixa de "cocriar ao contrário" e já compreende as mudanças internas que precisam ser feitas, de modo que o salto de consciência possa acontecer a qualquer momento.

A frequência da cocriação se consolida a partir do nível da aceitação (350 Hz) porque é justamente na consciência da aceitação que a pessoa finalmente reconhece ser 100% responsável por sua vida, por seu sucesso e por sua felicidade. Quando isso acontece, ela também tem controle de 100% do seu poder e abandona a posição de vítima, em um processo permeado pela prática do perdão e liberação do seu passado, e de todos aqueles que supostamente lhe fizeram mal.

A aceitação do passado, em todas as suas circunstâncias, por mais adversas que tenham sido, acompanhada pela libertação do perdão, permite que você recupere a energia vital que estava sendo drenada para sustentar os sentimentos negativos de ressentimento, mágoa, vingança, tristeza, raiva, ódio e outros equivalentes.

A recuperação dessa energia e a consciência de ser responsável pela própria vida permitem que você acesse uma nova Frequência Vibracional®, a vibração da cocriação, para, então, ser capaz de direcionar sua energia para a cocriação dos seus sonhos.

EXERCÍCIO

PARA LIBERAR O RESSENTIMENTO (CRIADO POR EMMET FOX)[4]

Pratique esse exercício uma vez ao dia, durante um mês. Perceba como irá sentir-se mais leve.

Sente-se em uma posição confortável, feche seus olhos e deixe mente e corpo relaxarem;

Usando a sua imaginação, sente-se na plateia de um pequeno teatro e observe o palco à sua frente;

Ponha nesse palco a pessoa pela qual você tem mais ressentimento – pode ser alguém do presente ou passado, vivo ou morto;

Quando visualizar essa pessoa, veja-a feliz, sorrindo e vivenciando situações importantes e felizes, as quais você sabe que ela gostaria;

Mantenha essa imagem por um tempo e depois deixe-a desaparecer vagarosamente;

Quando a pessoa sair do palco, coloque-se lá e visualize coisas boas acontecendo para você também;

Veja-se sorrindo e feliz;

Perceba, tome consciência e sinta que a abundância do Universo está disponível para todos!

---

[4] HAY L. L. **Você pode curar sua vida:** como despertar ideias positivas, superar doenças e viver plenamente (edição ilustrada). Rio de Janeiro: BestSeller, 2009.

Explicando com palavras simples: você só começa a andar para frente quando para de olhar para trás! Quer dizer, você só pode criar um novo futuro de paz, prosperidade, abundância, alegria e sucesso quando desapega do passado – para o novo eu nascer, o velho eu precisa morrer.

Em uma metáfora, se a Escala das Emoções fosse um carro, poderíamos dizer que:

- As frequências de 20 a 175 Hz (vergonha, culpa, apatia, medo, desejo, raiva e orgulho) são a marcha ré – vibrando nessas frequências, sua vida "anda para trás", em uma sequência de eventos negativos, processo que na psicologia é chamado de *entropia psíquica*;
- As frequências de 200 a 310 Hz (coragem, neutralidade e boa vontade) são uma espécie de "ponto morto", o carro está estacionado – a vida não mais anda para trás, mas também ainda não tem força propulsora para acelerar e seguir em frente. Contudo, pelo menos você já consegue olhar para frente, começando a desapegar do passado e vislumbrando onde deseja chegar;
- As frequências acima de 350 Hz (aceitação, amor, alegria, paz e iluminação) são as marchas que levam para frente e o acelerador – a pessoa entra no fluxo natural da vida e no propósito da encarnação de sua consciência que é "andar para frente", ou seja, evoluir, crescer, expandir e, no meio do caminho, colher os frutos materiais decorrentes do aperfeiçoamento do espírito.

Da mesma maneira que o movimento para frente faz parte da natureza e propósito de um carro, o movimento de evolução também é a nossa própria natureza e propósito. Não podemos evoluir quando nos acostumamos a viver nas frequências de baixa vibração, bem como não podemos ficar parados em ponto morto esperando pelo sucesso.

Chegando até aqui, preciso dizer que o maior segredo do Universo e da cocriação da realidade está muito bem guardado dentro de você: é a sua própria Frequência Vibracional®! Em outras palavras, o grande segredo para a manifestação da realidade que você tanto deseja são suas emoções que subjazem a cada um de seus pensamentos, sentimentos e comportamentos, determinando, em última instância, tudo o que acontece na sua vida.

A vibração emitida pela frequência das suas emoções define tudo o que você experimenta e, por isso, é o motivo pelo qual você está vivenciando o que quer que esteja acontecendo na sua vida agora. Suas emoções são as sementes dos frutos que você colhe da vida!

As emoções, principal elemento constitutivo da nossa Frequência Vibracional®, são tão importantes que eu dediquei um livro inteiro para falar delas: meu terceiro livro físico, *DNA Revelado das Emoções*®, publicado em 2021, que se tornou um best-seller desde o pré-lançamento.

Portanto, o acesso à frequência da cocriação ocorre conforme você se torna consciente e se alinha com a vibração das emoções de frequências mais elevadas. Porém, entenda que a mudança é um processo sutil cujos efeitos são evidenciados gradualmente, não há um prazo determinado para que a mudança se manifeste na realidade externa, de modo que é necessário persistir e continuar se dedicando, mesmo quando você ainda não seja capaz de ver a expressão material da mudança.

Apesar do processo ser diferente para cada pessoa, existem alguns sinais que confirmam que você está elevando o nível da sua consciência e entrando na frequência da cocriação:

- Diminuição da ansiedade, preocupação, reclamação e julgamento (inclusive, as pessoas mais próximas vão observar e comentar);
- Melhoria da qualidade do sono noturno e da disposição diurna;
- Surgimento de novas oportunidades absolutamente inesperadas;
- Novas amizades, encontros e reencontros com pessoas alinhadas com seu propósito;
- Rompimento de relacionamentos tóxicos;
- Perda de interesse por consumir certos conteúdos de baixa vibração, como notícias sobre crimes e fofocas das celebridades, por exemplo;
- Aumento da clareza mental, da habilidade de se comunicar e lidar serenamente com desafios;
- Aumento da energia física;
- Desenvolvimento, ainda que tímido, da prosperidade;
- Sensação de que a vida está mais leve;
- Vontade de contribuir socialmente.

FUNDAMENTOS DA HOLO COCRIAÇÃO®

DEUS DIZ SEMPRE SIM!

Um elemento fundamental do processo de elevação da sua Frequência Vibracional® é a compreensão de que Deus não opera por você, mas através de você, por isso ele lhe presenteou com o livre-arbítrio, para que possa fazer suas próprias escolhas. Nesse sentido, Deus diz sempre sim para você, pois Ele respeita seu livre-arbítrio, de modo que você sempre cocria a realidade equivalente a frequência que emana.

Se em algum momento você julgou a Deus, vitimizou-se pensando que Ele o abandonou, pratique este lindo exercício e faça as pazes com o Criador:

Feche os olhos e respire lentamente com o diafragma;
Conte até sete para inspirar, depois mais uma vez até sete para exalar;
Use sua respiração para se acalmar e desacelerar;
Vá respirando, se conectando para atravessar o portal energético da cocriação;
Respire lentamente sem se preocupar, sem julgar e sem interpretar qualquer pensamento que venha passear por sua mente. Apenas observe e o libere;
Continue respirando, fazendo a contagem, liberando qualquer energia ruim que esteja lhe afligindo;
Peça desculpas para Deus, faça as pazes com Ele, sinta a energia que Ele tem ao lhe receber e entender que os seus momentos de fraqueza fazem parte do seu processo de expansão;
Aconchegue-se em Deus através da sua respiração, deite-se em Seu colo;
Apenas observe e limpe emoções ruins, limpe-as uma por uma, silenciosamente.

EXERCÍCIO

A FREQUÊNCIA DA COCRIAÇÃO DE PROSPERIDADE FINANCEIRA

Para ser um sucesso, é necessário abraçar e operar a partir de princípios básicos que produzem sucesso, não apenas imitar as ações de pessoas bem-sucedidas. Para realmente fazer o que eles fazem, é necessário ser como eles são.

DAVID HAWKINS

Agora, vamos focar especificamente na frequência da cocriação da prosperidade financeira, cuja busca é o principal motivo pelo qual a maioria das pessoas entra em ressonância com meus ensinamentos. Conforme minhas pesquisas sobre o Mapa da Consciência Humana, posso afirmar que, seja qual for a sua profissão ou empreendimento financeiro, a prosperidade manifestada na forma de lucro, crescimento e expansão é totalmente condicionada ao seu nível de consciência.

Para começar, já adianto que em níveis de consciência abaixo de 200 Hz, não há a mínima possibilidade de abundância financeira, sucesso profissional ou prosperidade nos negócios, uma vez que a vibração baixa das frequências inferiores não permite que a pessoa tenha uma percepção para além dos seus interesses pessoais e, por isso, não consegue vislumbrar a ideia de que riqueza não é acumulação egoísta, mas sim um fluxo, um movimento que visa o bem-estar de todos.

A prosperidade material demanda um nível de consciência capaz de transcender as ambições individuais e compreender que, seja qual for o serviço que preste ou o produto que venda, esse trabalho tem o propósito maior de servir a humanidade, melhorar o mundo e ser uma peça nas "engrenagens" da abundância do Universo.

Nesse sentido, não importa se você é faxineira ou médica, se você é pedreiro ou advogado, se você é um vendedor ambulante ou um servidor público de alto escalão, não importa com o *que* você trabalha, o que importa é a maneira *como* você trabalha.

Se o trabalho é um fardo, um grande esforço que você faz todos os dias com o objetivo único de ganhar dinheiro para garantir sua sobrevivência, sem grandes preocupações em servir a seus clientes e à humanidade em geral, sem cogitar a possibilidade de contribuir para um mundo melhor, o dinheiro pode até chegar mediante esforço, mas dificilmente de maneira a proporcionar o sentimento de abundância que tantos buscam. E nesse caso não importa se a pessoa ganha mil ou um milhão por mês, a percepção será de limitação, marcada por aquela sensação de que "o dinheiro não dá pra nada".

Por outro lado, se o trabalho não é um fardo que você precisa suportar, se trabalha com o objetivo de ganhar seu dinheiro e promover o bem-estar próprio e da família, mas também tem a consciência de oferecer o seu melhor todos os dias, de crescer, de expandir, de tratar as pessoas com cada vez mais gentileza e compaixão, de praticar a honestidade em todos os seus atos e de contribuir para aumentar a riqueza do planeta, então você se alinha com a harmonia e a abundância do Universo, de modo que honras, reconhecimento e lucros multiplicados exponencialmente serão meras e adoráveis consequências.

Em última instância, podemos dizer que os profissionais bem-sucedidos e prósperos são aqueles que trabalham com o coração, colocando amor, gentileza, cuidado, generosidade e alegria em tudo o que fazem, diferente daqueles que agem apenas com a razão, pautados na frieza do cálculo de interesses do ego. O verdadeiro sucesso e o fluxo da riqueza decorrem da conciliação entre os objetivos pessoais e a consciência da responsabilidade social, isto é, o alinhamento entre o que é melhor para o indivíduo e o que promove melhorias no mundo.

Enfim, o sucesso profissional e a consequente prosperidade financeira decorrem do alinhamento com as frequências que o dr. Hawkins chama de níveis de poder, isto é, as frequências das emoções positivas que vibram acima de 350 Hz, que como expliquei anteriormente, é a frequência da cocriação em geral.

FAÇA AS PAZES COM O DINHEIRO

Praticando a auto-observação, reflita qual é o nível de consciência que predomina na sua relação com o dinheiro. Analise:

- Você acha que ganhar dinheiro é uma batalha?
- Você tem medo de não ter dinheiro suficiente para sustentar a si e aos seus filhos?
- Você acredita que o dinheiro é uma energia?
- Você acredita que existe dinheiro e riquezas infinitas no Universo?
- Você se sente alinhado com a abundância do Universo?
- Você direciona seu trabalho para, além de obter lucros, melhorar o mundo?

Decida agora fazer as pazes com a energia do dinheiro! Tudo o que você precisa é de intenção, vontade e imaginação!

Visualize-se cercado por pilhas e pilhas de notas de dinheiro;
Sinta a textura do papel, sinta o cheiro das cédulas novinhas, beije o dinheiro;

COCRIADOR DA REALIDADE

> **EXERCÍCIO**
>
> Sinta a sensação de que todas as suas contas estão pagas, sua casa está com a manutenção em dia, as necessidades dos seus filhos estão todas satisfeitas;
>
> Visualize o saldo milionário da sua conta bancária também;
>
> Na sua imaginação, comece a gastar esse dinheiro... vá ao shopping, à imobiliária, à concessionária de automóveis, a restaurantes chiques... faça o que você sempre quis;
>
> Lembre-se também de fazer grandes doações;
>
> Pegue um monte de cédulas e jogue para cima fazendo uma chuva de dinheiro sobre você;
>
> Dance com o dinheiro, pule, grite, vibre...
>
> Agradeça pela presença do dinheiro na sua vida;
>
> Sinta-se em uma relação feliz e harmoniosa com o dinheiro, em paz e livre para realizar todos os seus desejos.

A FREQUÊNCIA DA COCRIAÇÃO DA CURA E DA SAÚDE

Com relação à frequência da cocriação de cura e saúde, o dr. Hawkins explica um fato interessantíssimo que observou e comprovou: nosso sistema nervoso central tem uma inteligência capaz de diferenciar a vibração dos níveis inferiores e superiores de consciência, reagindo de uma maneira específica a cada um deles.

Vibrando nos níveis inferiores, especialmente nos abaixo de 200 Hz, a presença constante das emoções negativas provoca a liberação excessiva de adrenalina e cortisol (hormônios do estresse), o que a longo prazo reduz a imunidade e enfraquece os órgãos e o corpo como um todo, levando à manifestação das doenças físicas.

Por outro lado, quando a pessoa mantém sua vibração na energia dos níveis superiores (350 Hz ou mais), ela entra em ressonância com os padrões energéticos que dão suporte à vida, o que provoca a liberação de endorfinas e a ativação dos sistemas de regeneração, cura e equilíbrio do corpo físico.

Assim, da mesma maneira daqueles que desejam cocriar riqueza e prosperidade, quem se encontra acometido de alguma enfermidade e, portanto, deseja cocriar cura e saúde, precisa, através da prática da auto--observação dos pensamentos, sentimentos, palavras e comportamentos, perceber se, "por acaso", está vibrando predominantemente nos níveis inferiores da Escala das Emoções, sobretudo nos níveis abaixo de 200 Hz, para, então, começar a se dedicar na elevação de sua Frequência Vibracional®.

A sobrecarga hormonal decorrente do estresse é apenas disparada por estímulos externos, mas é mantida a longo prazo como consequência não das adversidades da vida em si, e sim das reações que a pessoa tem diante de seus supostos problemas.

Quer dizer, nossos próprios pensamentos, sentimentos e comportamentos recorrentes de baixa vibração traduzidos em malícia, reclamação, julgamento, crítica, autocrítica, mágoas etc. causam um ataque fisiológico no corpo, comprometendo seriamente seu funcionamento saudável e harmonioso.

Claro, é normal que quem está doente, tal qual quem está passando por sérios problemas financeiros, esteja sentindo culpa, vergonha, medo, tristeza, raiva e outras emoções negativas. Entretanto, é fundamental a compreensão de que a cura jamais acontecerá a partir desses níveis de consciência; ela só vai acontecer quando a pessoa se tornar consciente das emoções negativas com que está alimentando sua enfermidade; reconhecê-las e escolher transcendê-las com o cultivo intencional de emoções de alta vibração e um novo conjunto de pensamentos, sentimentos e comportamentos delas decorrentes.

Novamente, temos que a cocriação da saúde, como todas as outras cocriações, pressupõe a vibração da aceitação (350 Hz), pois o reconhecimento da situação, assumir a responsabilidade pela compreensão de que foram suas próprias emoções negativas que causaram a doença e um desejo sincero de mudar permitem a sintonização com padrões de energia superiores que elevam o nível de consciência e possibilitam a cura. Ao aceitar a situação e começar a modificar as emoções e as atitudes, automaticamente, a energia, a vibração e a bioquímica também mudam para promover o equilíbrio e restaurar a saúde.

A aceitação, a compaixão e o perdão são sentimentos que naturalmente elevam os padrões de energia e têm influência direta na saúde do corpo físico. Uma vez que mente e corpo são intrinsecamente conectados, quando a consciência muda, o corpo reflete a mudança, mesmo diante dos piores prognósticos médicos. Portanto, a cocriação da cura é perfeitamente possível, desde que a pessoa consiga alterar e elevar seu nível de consciência.

A partir da vibração da aceitação, a pessoa pode saltar para a vibração do amor, expressa tanto pelo desenvolvimento do amor-próprio como da capacidade de amar a tudo e a todos incondicionalmente, inclusive a própria doença. Acessando a frequência do amor (500 Hz), a frequência da alegria está logo em seguida (540 Hz) e é elemento fundamental da cura; é a própria frequência da cura, um elixir poderoso para a promoção da saúde, harmonia e felicidade.

Nessa escalada da consciência em busca da cura, passando pela aceitação, pelo perdão, pelo amor e pela alegria, o principal obstáculo a superar é o sentimento de vitimização, muito comum em quem está doente, mas que pode ser ultrapassado pela manutenção cuidadosa do alinhamento energético. Isso se dá através do desenvolvimento da consciência de que a doença não é vilã. Além de despertar a consciência da autorresponsabilidade, a elevação da motivação e o abandono do autoengano para atingir uma nova perspectiva.

EXERCÍCIO

COCRIAÇÃO DE SAÚDE

Visualize-se em uma consulta, sentado diante de seu médico, veja-o perplexo, analisando seus exames e dizendo que você está completamente curado(a);

Desenvolva a história...

Veja a cena em que você compartilha a notícia com sua família e amigos;

Veja a reação deles e comemore com eles;

Na sua imaginação, realize alguma atividade que você não podia fazer quando estava doente;

Cultive o sentimento de estar totalmente saudável;

Agradeça por sua saúde;

Deseje cura a todas as pessoas que estão doentes agora.

Observações

Se você está cocriando cura e saúde, abstenha-se completamente de:

- Falar "a minha doença" isso ou aquilo;
- Pesquisar sobre formas de evolução e agravamento da doença;
- Pesquisar sobre as estatísticas de mortes por essa doença;
- Conversar sobre a doença;

FUNDAMENTOS DA HOLO COCRIAÇÃO®

> **EXERCÍCIO**
>
> - Ouvir sobre a doença de outras pessoas;
> - Consumir conteúdos de baixa vibração – notícias sobre crimes, fofocas etc.;
> - Assistir a filmes de terror, dramas intensos, pornografia e outros temas de baixa vibração.
>
> Troque tudo isso por:
>
> - Alimentação saudável;
> - Contemplação e apreciação da natureza;
> - Músicas de alta vibração;
> - Assistir a comédias;
> - Ouvir relatos de pessoas que se curaram;
> - Orar e meditar;
> - Rir;
> - Ser gentil.

e) Sair da baixa vibração é uma escolha

O crescimento e expansão da consciência, dos quais a cocriação de sonhos é mera consequência, demanda que você encare suas sombras diariamente e que se dedique na auto-observação para, com amor e paciência, curar suas emoções de dor e reprogramar suas crenças limitantes.

Entenda que, a cada instante da sua vida, um desses níveis de consciência está se expressando de maneira predominante e ressaltada. Neste momento mesmo, enquanto lê este livro, se você parar um instante e observar, vai perceber que tem uma emoção, uma energia que o impulsiona a dedicar sua atenção e seu tempo a esta leitura, provavelmente a coragem ou a boa vontade para aprender.

Seja qual for o nível de consciência em que você esteja no momento, ele está gerando uma vibração, delineando sua Frequência Vibracional®, que pode ser positiva ou negativa, permitindo ou impedindo a cocriação de seus sonhos, mas que está constantemente criando a sua realidade através da sintonização de encontros, relacionamentos, eventos e circunstâncias ressonantes com a frequência que você está emitindo.

O fato é que estar sempre vibrando nas frequências elevadas e nunca descer na Escala das Emoções é algo quase impossível para pessoas "normais" (não avatares) como eu e você – todos nós, por ventura, vamos sentir vergonha, culpa, tristeza, medo ou raiva em algum momento. Contudo, mesmo não conseguindo controlar a espontaneidade com que surgem as emoções negativas, podemos escolher conscientemente não permanecer na baixa vibração.

Eu sou um ser humano igual a você, estou sujeita a ter as mesmas emoções negativas e, claro, ocasionalmente entro na ressonância delas. Entretanto, o que me faz estar do lado de cá, escrevendo este livro e me proponho a ser sua treinadora, é o fato de que conquistei a habilidade de me tornar consciente e perceber quando estou emitindo uma Frequência Vibracional® baixa e, rapidamente, alterar a polaridade da minha vibração.

Quando você finalmente compreende que não existem vítimas nem algozes e que é 100% responsável por sua felicidade e sucesso, você deixa de ficar esperando que algo aconteça para que se sinta feliz; deixa de ficar esperando ter mais dinheiro, comprar a casa nova, terminar um curso, mudar para outra cidade, conseguir uma promoção, ganhar na loteria, emagrecer, casar, ter filhos etc., pois entende que sua felicidade não é condicionada a eventos externos.

Na verdade, esse é um grande erro que muita gente comete: condicionar sua expectativa de felicidade e realização ao acontecimento de um evento futuro. Enquanto o evento não se realiza, a pessoa fica em *stand-by*, vivendo infeliz e reclamando todos os dias, e pode viver décadas ou até mesmo uma vida inteira presa nas vibrações das frequências dos níveis de consciência inferiores.

Nos níveis inferiores, quanto mais a pessoa espera que a mudança ocorra, mais se frustra, mais sente escassez, carência, tristeza e raiva, e consequentemente, perpetua sua baixa Frequência Vibracional® que não cocria sonhos, apenas pesadelos.

Para sair desse ciclo de expectativas frustradas e percepção constante de escassez é necessário manter a calma e se dedicar à auto-observação das próprias emoções, tornando-se capaz de identificar os momentos em que as emoções de baixa frequência estão tentando dominar seu ser.

Suas emoções são o guia para a evolução da consciência, pois elas mostram o que precisa ser trabalhado em você. Emoções negativas, por causarem mal-estar no corpo e na mente, em princípio, podem ser julgadas como algo muito ruim e que deve ser evitado a qualquer custo, mas elas têm um propósito e são um elemento fundamental na expansão da sua consciência, pois sinalizam os aprendizados e curas que precisam ser feitos durante a sua jornada.

Claro, para quem deseja se tornar um cocriador consciente e poderoso, o ideal é que a ocorrência de emoções de baixa frequência seja algo raro, contudo, isso não significa que jamais emoções negativas serão sentidas, muito menos que devemos reprimi-las, ignorá-las ou negá-las.

Como já comentei antes, a sutileza da questão não está em nunca sentir emoções negativas, mas em perceber a presença delas e escolher deliberadamente não permanecer nessa vibração por muito tempo. Você pode até não controlar o surgimento das emoções, mas você pode escolher o tempo de permanência delas.

E, nesse processo de lidar com as emoções negativas, eu ressalto mais uma vez a importância da *aceitação*, uma vez que não basta identificar e observar as emoções, também é preciso aceitá-las, pois só podemos alterar e transcender aquilo que somos capazes de aceitar.

Enfim, estar ou não na frequência da cocriação é sempre uma escolha; e não é algo pontual que você faz uma vez na vida, é uma escolha que tem de ser feita a cada momento, durante todos os dias da sua vida. Recusar-se a permanecer vibrando nas frequências baixas, permitindo que as emoções negativas o dominem e determinem sua realidade é sempre uma escolha, uma questão de dedicação e compromisso consigo, enfim, um ato necessário para se tornar um Holo Cocriador® de Sonhos! Não é incrível? A mudança que você deseja e a realização dos seus sonhos não depende de ninguém, apenas de você mesmo!

EXERCÍCIO

MUDANÇA DE PERSPECTIVA

O professor espiritual contemporâneo Eckhart Tolle também ensina bastante sobre níveis de consciência e ressalta a importância da auto-observação como ferramenta de mudança e elevação da consciência acima das percepções, interpretações e padrões de reatividade do ego.

Sobre o tema, ele sugere o seguinte exercício, o qual eu também proponho que você faça. Sempre que você usar frases que expressem julgamentos e vitimizações como:

EXERCÍCIO

- Meu marido me traiu;
- Minha mãe me abandonou;
- Meu pai foi ausente;
- Meu filho me desrespeitou;
- Meu chefe foi grosseiro;
- Meu vizinho foi mal-educado;
- A moça do caixa do banco foi ignorante;
- Um estranho me xingou na rua sem eu ter feito nada.

Você deve parar e experimentar mudar a perspectiva para:

ESTE SER HUMANO ESTÁ SIMPLESMENTE MANIFESTANDO SEU NÍVEL DE CONSCIÊNCIA E EU TAMBÉM ESTOU REAGINDO CONFORME O MEU PRÓPRIO NÍVEL DE CONSCIÊNCIA.

Simples e elegante! Quando você entende que os outros também têm padrões reativos iguais a você e que todas as suas atitudes são meras expressões das limitações de seu nível de consciência, as supostas ofensas não são mais vistas como uma afronta pessoal, e você automaticamente sai da posição de vítima e se dá conta que cada um só pode dar aquilo que tem. Através dessa compreensão, você eleva seu próprio nível de consciência e se alinha com as frequências da aceitação, da compaixão, da paz e do amor.

f) A importância da Escala das Emoções na Técnica Hertz®

A Técnica Hertz®, a principal técnica e ferramenta de reprogramação da mente do meu treinamento fechado Holo Cocriação® de Objetivos, Sonhos e Metas, jamais poderia ter sido criada se não tivesse conhecido a Escala das Emoções, o Mapa da Consciência Humana e todo o trabalho do dr. Hawkins.

Como você já deve ter me ouvido contar, a Técnica Hertz® foi criada por mim naquele período mais desafiador da minha vida, na minha "noite escura da alma", quando eu estava na busca intensa pela minha própria cura em meio a uma situação caótica de dívidas, escassez, abandono, vitimização, medo, culpa, raiva, depressão suicida e completo desespero.

FUNDAMENTOS DA HOLO COCRIAÇÃO®

    Mesmo no meio desse caos, muitas vezes perdendo as esperanças e desejando a própria morte, eu sei que o Criador me protegeu e me guiou, pois apesar de tudo, eu nunca parei minha busca por conhecimento e por autoconhecimento, aliás, meu único prazer e divertimento na vida era estudar.

    A Técnica Hertz®, como uma técnica dos milagres e da cocriação instantânea, nasceu justamente quando eu acessei o conhecimento sobre os níveis de consciência e se expressou na combinação harmônica e perfeita de outras várias técnicas que eu já praticava isoladamente, as quais consumiam muito do meu tempo e que, separadas, não produziam resultados urgentes, o milagre, que eu tanto buscava.

    A Técnica Hertz® é um entrelaçamento quântico de várias ferramentas de cura energética e reprogramação mental, mas sua essência está na aplicação da Escala das Emoções direcionada para a mudança de realidade e cocriação de sonhos. Ela é meu maior patrimônio intelectual e espiritual, bem como minha maior contribuição para a elevação do nível de consciência da humanidade.

    Você acabou de aprender que nos níveis inferiores da Escala é impossível cocriar sonhos e que somente alinhando sua Frequência Vibracional® com os níveis superiores é que você acessa seu poder de cocriador da realidade. Nesse sentido, a Técnica Hertz® é a ferramenta perfeita que lhe permite transitar entre os níveis da Escala das Emoções e elevar sua consciência aos níveis da cocriação, uma vez que seus comandos englobam tanto a aceitação e o reconhecimento da polaridade negativa da vibração que você deseja sair, bem como a afirmação da polaridade positiva contrária com a qual você tem a intenção de se alinhar.

COCRIADOR DA REALIDADE

TÉCNICA HERTZ®

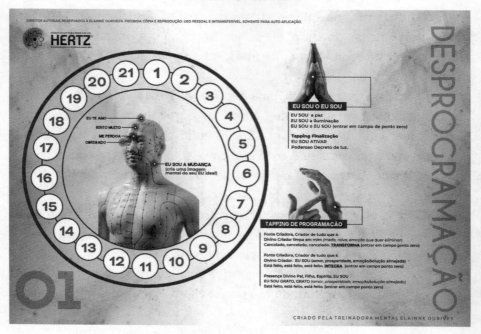

Aponte a câmera do seu celular para o QR Code a seguir e acesse a versão gratuita da Técnica Hertz® básica para cocriação dos seus sonhos conduzida por mim.

www.tecnicahertz.com.br

Capítulo 2
Física Quântica

O segundo pilar da Holo Cocriação® da Realidade é a Física Quântica, o ramo mais recente da Física. Enquanto a Física Clássica, também conhecida por Física Newtoniana, estuda a realidade visível e as leis que regem o comportamento das partículas maiores que um átomo, a Física Quântica estuda a realidade invisível das partículas subatômicas.

Talvez você, que deseja apenas cocriar um carro novo, uma casa, uma cura ou sua alma gêmea, esteja se perguntando que importância a Física Quântica, ciência aparentemente tão complexa, pode ter na sua vida. É justamente isso que eu pretendo explicar aqui!

Nosso corpo e tudo o que existe no Universo, incluindo a realidade dos seus sonhos, são formados por átomos que, por sua vez, são constituidos, basicamente, por energia. Então, quando nos dedicamos a conhecer, através da Física Quântica, como funciona o átomo e suas subpartículas, automaticamente aprendemos sobre como o Universo funciona e sobre como nós mesmos estamos inseridos nessa dinâmica.

Como você vai já aprender, a Física Quântica provou que os átomos reagem e expressam sua atividade eletrônica em conformidade com a intenção da consciência humana que os observa, de modo que o primeiro elemento da Física Quântica, que é fundamental na Holo Cocriação® da Realidade, é o fato de que a sua própria consciência determina a mobilização da energia dos elétrons e, assim, define como a matéria se apresenta (ou não) na sua realidade.

Outra descoberta da Física Quântica extremamente relevante para a Holo Cocriação® é a análise das propriedades dos átomos. A partir dela, foi comprovado que pensamentos e sentimentos emitem ondas eletromagnéticas, as quais, por afinidade eletrônica, podem entrar em ressonância com outras de frequência equivalente.

Traduzindo: a onda que você emite com seus pensamentos e sentimentos, que é sua assinatura energética, quando direcionada conscientemente, vai sintonizar com a onda do seu sonho para possibilitar a cocriação da realidade que você deseja.

Portanto, ter pelo menos conhecimentos básicos de Física Quântica possibilita uma expansão da sua consciência, aflorando e amplificando seu poder de Holo Cocriador® consciente de sonhos. Para isso, vou apresentar e explicar, a seguir, alguns conceitos fundamentais dessa ciência magnífica.

a) Átomo

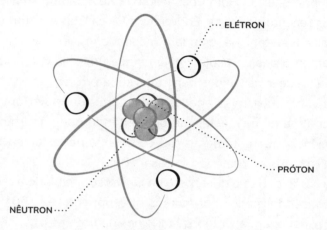

Lembra-se daquela ilustração do átomo que seus professores de Física e de Química apresentaram no ensino médio? Aquela imagem em que os elétrons são posicionados em órbitas elípticas perfeitamente simétricas em torno do núcleo formado de prótons e nêutrons? Não se lembra? É esta aqui em cima!

Essa representação da estrutura do átomo foi desconstruída com as descobertas da Física Quântica que comprovaram que, na verdade, o átomo realmente possui um núcleo formado por nêutrons e prótons, mas que os elétrons não têm uma posição definida e nem se movimentam de maneira ordenada.

Isso se deve ao fato de que os elétrons não têm uma existência constante como partícula sólida, de modo que se apresentam como ondas, isto é, os elétrons orbitam em torno do núcleo na qualidade de possibilidade que pode ou não estar fisicamente expressa como partícula de fato.

Assim, na ilustração do átomo nos moldes da Física Quântica, não há órbitas simétricas perfeitas em torno do núcleo, mas uma enorme nuvem de

FÍSICA QUÂNTICA

energia formada pelas infinitas possibilidades nas quais os elétrons podem se posicionar.

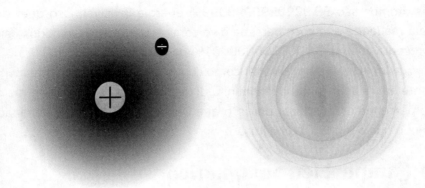

Observe a diferença de perspectiva sobre a movimentação dos elétrons em torno do núcleo nas ilustrações a seguir:

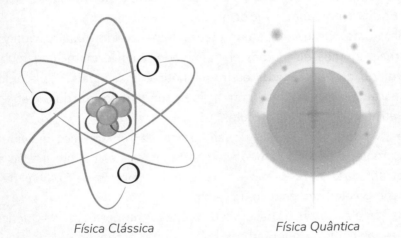

Física Clássica   *Física Quântica*

Essa névoa indefinida onde os elétrons orbitam como possibilidades, alternando-se entre onda e partícula, é formada por pura energia e, proporcionalmente, é muitíssimo maior que o núcleo do átomo. Os cientistas estimam que a "nuvem dos elétrons" representa 99,9999999999999% do átomo, ao passo que o núcleo corresponde a apenas 0,0000000000001%. Fazendo uma comparação em escala, se o átomo fosse o Maracanã inteiro, o núcleo seria a bola de futebol no centro do gramado.

E o que isso significa? Que o átomo é essencialmente formado por energia invisível, porém vibrante! E o que você tem a ver com isso? Se você, sua realidade e toda a matéria que existe no Universo são feitos de átomos, e os átomos são 99,9999999999999% energia invisível, isso quer dizer que a realidade que você percebe e vê com seus humildes sentidos físicos representa apenas 0,0000000000001% da Totalidade.

Assim, a realidade física tal como conhecemos é praticamente insignificante em relação à grandeza infinita do espaço ocupado pela energia que não percebemos. Deve ser por isso que Buda, no ápice de sua iluminação, afirmou que o mundo é uma ilusão!

b) Campo Eletromagnético

Esses 99,9999999999999% de energia invisível de que todos os átomos são constituídos formam um campo eletromagnético que emite e recebe informações na forma de frequências ondulatórias. Portanto, cada átomo que compõe seu corpo físico possui um campo eletromagnético, faz sentido? Então, acompanhe o raciocínio:

Cada átomo possui um campo eletromagnético individual e, quando dois ou mais átomos se juntam por afinidade, eles formam uma molécula, de modo que os campos eletromagnéticos individuais dos átomos que compartilhavam a mesma informação se fundam, formando um só – o campo eletromagnético da molécula.

Agora, cada molécula possui seu campo eletromagnético individual e, quando moléculas cujos campos compartilham a mesma informação se unem por afinidade para formar uma célula, os campos se fundem para formar o campo eletromagnético da célula.

Cada célula, então, possui seu próprio campo eletromagnético. Quando várias células se juntam para formar um órgão, os campos individuais de cada célula se fundem formando o campo eletromagnético do órgão. O mesmo processo ocorre quando órgãos se organizam em sistemas e, finalmente, os campos dos sistemas se fundem em um só campo eletromagnético, o seu campo eletromagnético pessoal, o campo de energia invisível que rodeia seu corpo físico, denominado de "aura" nas doutrinas esotéricas.

FÍSICA QUÂNTICA

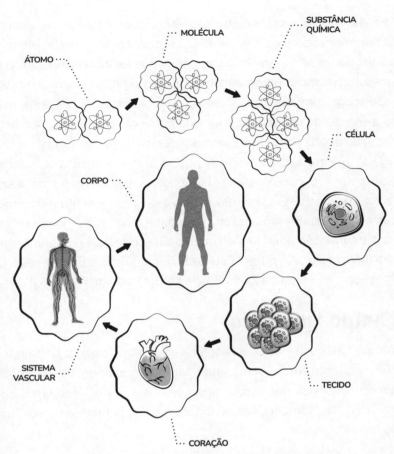

(Fonte: DISPENZA, J. *Como se tornar sobrenatural*. Porto Alegre: Citadel, 2020. Adaptado.)

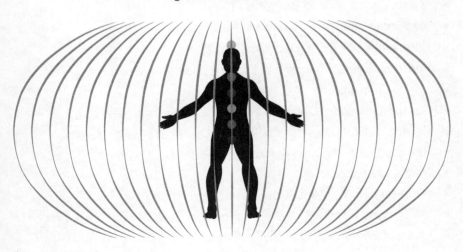

Através do seu campo eletromagnético, você interage com o mundo, emitindo as informações do seu ser, da sua consciência, e recebendo as informações dos outros seres e de todas as coisas que existem (sim, tudo ao nosso redor possui um campo eletromagnético, mesmo objetos inanimados e lugares, afinal são todos formados por átomos). Sua realidade é, portanto, formada quando a energia da informação emanada por você coincide com a energia da informação emanada por outros campos – pessoas, objetos, lugares etc.

Agora, a cereja do bolo: advinha o que determina a informação emanada pelo seu campo eletromagnético, a qual, em última instância, produz sua realidade? É a frequência dos seus pensamentos, sentimentos, palavras e comportamentos decorrentes das emoções predominantes! Isso mesmo: a informação emitida e captada pelo seu campo é definida pela sua Frequência Vibracional®. Bingo! Está tudo interconectado, voltamos à Escala das Emoções e ao Mapa da Consciência Humana do dr. Hawkins!

c) Campo Quântico

Campo Quântico é um conceito universal, amplamente trabalhado nas mais diversas literaturas, permeando tanto a ciência positivista quanto o domínio da metafísica, por isso, você vai perceber que ele é referenciado sob uma infinidade de nomenclaturas, adaptadas ao contexto em que é tratado.

Alguma delas são:

- Domínio do Desconhecido (Joe Dispenza);
- Matriz Divina (Gregg Braden);
- Não localidade (Amit Goswami);
- Potencialidade Pura (Deepak Chopra);
- Fonte Energética (Abraham/Esther Hicks);
- Vácuo Quântico;
- Campo Unificado, Campo Absoluto, Campo Energético;
- Campo das Infinitas Possibilidades, Campo de Ponto Zero;
- Realidade Pentadimensional;
- Matriz Energética;
- Mente de Deus, Mente Cósmica, Mente Infinita;
- Inteligência Infinita, Consciência Infinita, Consciência Superior;
- Oceano Primordial, Oceano Quântico.

FÍSICA QUÂNTICA

Dentre tantas denominações, eu escolhi chamar o Campo Quântico de Matriz Holográfica®, conceito fundamental nos meus ensinamentos sobre Holo Cocriação® da Realidade, que emprego para fazer referência ao oceano invisível de energia, informação, inteligência e consciência no qual estamos todos mergulhados.

Na verdade, a existência da Matriz Holográfica® (não com esse nome, claro) é uma verdade axiomática para a humanidade desde os tempos mais remotos, presente nas mais variadas doutrinas esotéricas, filosóficas, metafísicas, espirituais e teológicas, tanto do Ocidente quanto do Oriente.

Todas as civilizações, em suas mais distintas expressões, sempre intuíram a existência de algo além da matéria visível, e esse "algo" normalmente era associado ao Divino, uma instância superior à consciência humana, cuja essência é inefável e incognoscível, responsável pela sustentação da harmonia e por organizar e governar todas as coisas do Céu e da Terra.

A validação científica da Matriz Holográfica® é algo bastante recente, decorrente das pesquisas da Física Quântica. Estudando a estrutura e atividade das partículas subatômicas, os cientistas chegaram àquela conclusão que acabamos de ver, que o átomo é essencialmente constituído de energia invisível e, inevitavelmente, tiveram de pressupor e admitir a existência de uma Inteligência Universal que conecta os átomos entre si para dar forma a tudo que existe, ao que deram o nome de Campo ou Vácuo Quântico.

Para muitas pessoas, é desafiadora a compreensão do conceito de Matriz Holográfica®. A dificuldade decorre justamente da própria essência inefável da Matriz que não permite uma descrição ou conceitualização intelectual, pressupondo a experiência como meio de conhecimento.

Ainda assim, podemos ousar algumas explicações teóricas: a Matriz Holográfica®, o campo das infinitas possibilidades, não é um lugar físico, mas uma dimensão energética situada além da nossa perspectiva de espaço-tempo, por isso, é impossível acessá-la através dos sentidos físicos; o contato e conexão com a Matriz Holográfica® só é possível através da nossa consciência.

Na tentativa de esclarecer o conceito, Joe Dispenza sugere o seguinte exercício mental:

- Imagine um cenário em que tudo o que existe foi removido da Terra, tudo mesmo – pessoas, animais, vegetação, minerais, rios, oceanos, florestas, desertos, cidades e continentes;

- Imagine que a própria Terra desapareceu do Sistema Solar;
- Imagine que nosso Sistema Solar também desapareceu da galáxia – o Sol e todos os planetas, luas, estrelas e demais corpos celestes;
- Imagine que a própria galáxia, a Via Láctea, desapareceu;
- Por fim, imagine que todas as outras infinitas galáxias também sumiram.

O que sobrou? Nada! O vazio, o vácuo, a mais absoluta escuridão. Só que, paradoxalmente, esse vazio absoluto é "cheio" de energia, de pura energia potencial eterna e infinita. Como energia é informação, energia infinita significa informação infinita e é por isso que esse "vazio" é denominado de Campo das Infinitas Possibilidades, posto que contém todas as infinitas informações de todas as infinitas possibilidades de cocriação e manifestação da realidade, coexistindo ao mesmo tempo, ou melhor, em tempo nenhum, em estado de superposição quântica.

É nessa imensidão infinita de energia onde "moram" todas as suas infinitas versões, desde as mais miseráveis e desgraçadas às mais felizes e abundantes. Portanto, também é "lá" onde "mora" seu eu do futuro que já é, faz e tem tudo que você deseja ser, fazer ou ter.

Anteriormente, afirmei que a única maneira de se conectar com a Matriz Holográfica® é através da consciência, pois é através dela que somos capazes de abstrair a realidade material e as percepções sensoriais para nos conectarmos com as frequências mais elevadas da Matriz.

Você se conecta com a Matriz Holográfica® todas as vezes que pratica uma meditação silenciosa o suficiente para neutralizar seu fluxo de pensamentos e estado de alerta em relação à realidade externa. Essa conexão também acontece por meio da Técnica Hertz®, justamente por isso que os comandos da Técnica são intercalados pela solicitação de que você entre em Ponto Zero.

Nesse sentido, entrar em Ponto Zero é "esquecer" temporariamente que você tem um corpo, um nome e um monte de problemas para ser apenas uma consciência sem passado e sem futuro, fundida à Consciência do Todo, em conexão com a Matriz Holográfica®, onde estão todas as infinitas possibilidades, inclusive aquela nova realidade que você tanto deseja.

FÍSICA QUÂNTICA

> **EXPERIMENTE O NADA**
>
> Transforme o exercício mental de Joe Dispenza, mencionado acima, em uma experiência: sente-se ou deite-se confortavelmente e vá imaginando o desaparecimento de tudo a sua volta, como sugerido. Então, permaneça por cinco minutos (ou o tempo que você desejar) apenas sentindo a energia infinita que restou após a retirada de toda a matéria do Universo.
>
> *EXERCÍCIO*

d) Experimento da Dupla Fenda

O Experimento da Dupla Fenda certamente é o estudo mais famoso da Física Quântica no mundo da cocriação. O experimento foi realizado em 1802 pelo físico e médico britânico Thomas Young (1773-1829), que, em poucas palavras, comprovou que **o olhar do observador determina a manifestação da partícula**.

Na Física Clássica, tudo é partícula (matéria) ou onda (energia), mas, na Física Quântica, tudo é partícula e onda ao mesmo tempo, sendo que a apresentação da energia manifestada na densidade da matéria na qualidade de partícula ou na sutileza invisível da onda é determinada pela consciência do observador.

Como vimos antes, no modelo atômico da Física Quântica, os elétrons que orbitam naquela "nuvem" em volta do núcleo do átomo existem simultaneamente em um número infinito de possibilidades e probabilidades, mas, quando uma consciência humana direciona sua atenção procurando por algo material, o campo de energia e informação do elétron enquanto onda invisível se aglutina e densifica para se apresentar como partícula de fato, isto é, matéria. E o mais interessante: quando não observado, o elétron-partícula volta a ser um elétron-onda.

Essa é justamente a descoberta magnífica do dr. Young com o Experimento da Dupla Fenda. Entenda como ele chegou a essa conclusão que revolucionou não só mundo da Física, mas o mundo de todos nós:

- Dr. Young utilizou duas placas: uma com duas fendas e uma sem nenhuma fenda, as quais foram posicionadas, nessa ordem, uma atrás da outra;

- Diante das placas, ele posicionou uma fonte de luz que passava pelas duas fendas e era projetada na terceira placa (a lisa);
- Para a surpresa dele e dos colegas, foi constatado que a projeção da luz na terceira placa variava conforme tivesse algum cientista observando ou não o experimento: se não tivesse ninguém observando, a luz era projetada de maneira difusa; se tivesse alguém observando, a luz atravessava as duas fendas e era projetada em duas faixas bem delineadas na placa lisa.

A conclusão foi, portanto, de que, quando não eram observados, os elétrons se comportavam como ondas; mas, quando observados, se comportavam como partículas. E essa conversão da energia de onda para partícula em decorrência da atenção oferecida pela consciência do observador é o que se chama na Física Quântica de COLAPSO DA FUNÇÃO DE ONDA, conceito que vou explicar daqui a pouco.

A comprovação científica de que a partícula (matéria) só existe quando observada e que a causa de todo colapso de onda é a consciência humana foi absolutamente revolucionária, porque evidenciou o fato de que o Universo, o Campo Quântico ou a Matriz Holográfica®, responde às ondas eletromagnéticas emitidas por campos humanos.

E o que você, que está lendo este livro porque deseja cocriar uma cobertura de frente para o mar ou a cura do câncer, tem a ver com uma experiência feita em um laboratório distante há mais de duzentos anos? Tudo! Todas as suas pretensões de cocriações são fundamentadas nesse experimento!

Sabe por quê? Porque o Experimento da Dupla Fenda, em última instância, comprovou que você não é uma testemunha neutra da realidade, muito menos uma pobre vítima indefesa da vida; através da sua consciência, exerce uma influência decisiva e inevitável sobre tudo o que acontece na sua vida e sobre as formas nas quais a realidade se apresenta para você.

Em outras palavras, o Experimento da Dupla Fenda fundamenta cientificamente o conceito de autorresponsabilidade pelo qual compreendemos que não somos vítimas de nada nem de ninguém; somos cocriadores de todo e qualquer fracasso ou sucesso que experimentamos.

Além disso, o experimento evidencia o poder que nossas crenças têm na criação da nossa realidade. Você parou para pensar por que, quando observada, a luz se projetou em duas faixas? Ora, porque essa era a crença do cientista que estava fazendo o experimento, afinal, se há duas fendas na placa, a pressuposição lógica é de que a projeção será proporcional. Ao observar, o cientista tinha certeza de que a realidade se manifestaria conforme ele acreditava, e assim foi!

Portanto, se você não está satisfeito com sua realidade vigente, é porque está direcionando sua atenção para o "lado errado", está usando sua consciência para colapsar escassez, carência, doença, pobreza, medo e tristeza através das suas constantes reclamações.

Contudo, se foi a sua consciência que criou essa realidade desagradável que você está vivendo, essa mesma consciência, desde que elevando o nível de sua Frequência Vibracional®, pode "descriar" essa realidade mediante a retirada da atenção e criar uma nova realidade com o redirecionamento consciente da sua atenção.

Explicando de maneira ainda mais clara: você não é uma vítima; é um cocriador! Acontece que se você observa sua realidade sempre a partir do mesmo nível de consciência, você colapsa sempre as mesmas funções de onda, sustentando os padrões que determinam a sua realidade, mas se decidir elevar seu nível de consciência e sua Frequência Vibracional® removendo sua atenção dos seus problemas e da percepção de escassez, pode, então, direcionar sua atenção para colapsar novas funções de onda e cocriar uma nova realidade para você!

e) Salto Quântico

O Salto Quântico é uma propriedade interessantíssima dos átomos que evidencia a movimentação de um elétron entre uma órbita e outra ao redor do núcleo do átomo em decorrência de uma alteração em sua frequência (energia). Curiosamente, nesse movimento de mudança de órbita, os elétrons não "percorrem um caminho", eles simplesmente desaparecem em uma órbita e reaparecem na outra. Os cientistas supõem que o salto quântico do elétron ocorre em uma velocidade infinitamente superior à velocidade da luz, razão pela qual o percurso não pode ser identificado.

Na Holo Cocriação®, o Salto Quântico se expressa como um salto de consciência que ocorre diante de um pico de elevação na Frequência Vibracional®, provocando uma mudança instantânea de nível de consciência, em um movimento espontâneo de ascensão aos níveis superiores da tabela de Hawkins. Quando ocorre o Salto Quântico da Consciência, a pessoa imediatamente percebe a si mesmo e a realidade à sua volta sob uma nova perspectiva e o resultado disso é que ocorrem alguns eventos "estranhos", chamados pelas pessoas comuns de milagres.

> **EXERCÍCIO**
>
> **TÉCNICA APRENDENDO A SE AMAR
> (EXERCÍCIO DO ESPELHO DE LOUISE HAY)**
>
> O primeiro passo para um Salto Quântico da Consciência é elevar sua frequência à vibração da ACEITAÇÃO (350 Hz na Tabela de Hawkins). Ao acessar essa vibração, você desperta sua autoestima e seu amor-próprio, o que o coloca, espontaneamente, em conexão com sua Centelha Divina. Por isso, proponho a seguir a prática de um exercício criado por Louise Hay, que é muito simples, porém poderosíssimo.
>
> Vá para frente de um espelho, olhe no fundo dos seus olhos, observe-se, e, olhando para seu reflexo, fale seu nome e diga: "EU TE AMO E TE ACEITO EXATAMENTE COMO VOCÊ É!".

f) Emaranhamento Quântico

Emaranhamento ou Entrelaçamento Quântico é um conceito fundamental da Física Quântica usado para descrever o fato impressionante de que duas ou mais partículas, uma vez unidas por um mesmo campo eletromagnético, quando fisicamente separadas, continuam a compartilhar informações e afetar o comportamento uma da outra de maneira remota e instantânea, independentemente da distância entre elas.

O Emaranhamento Quântico, descrito por Albert Einstein (1879-1955) como uma "ação fantasmagórica à distância", é fundamentado e comprovado cientificamente pelo Teorema de Bell, postulado na década de 1960 pelo cientista irlandês John Bell (1928-1990), segundo o qual existe uma comunicação não local, isto é, uma comunicação que não pode ser determinada no tempo e no espaço da realidade tridimensional, entre as partículas, e essa comunicação ocorre em velocidades superiores à velocidade da luz, conhecidas como velocidades supraluminosas.

Gregg Braden, de maneira lindamente inspirada, faz referência ao Emaranhamento Quântico em seu livro *A Matriz Divina*: "Por meio da unidade que

FÍSICA QUÂNTICA

está no interior do seu corpo, do meu e do corpo de todos os seres humanos do planeta, temos uma comunicação direta com a mesma força que cria tudo, dos átomos às estrelas e ao DNA da vida!"

O Emaranhamento Quântico é válido universalmente, mas para você se beneficiar dessa "força que cria tudo", como conceituou Braden, precisa transcender sua percepção de separação em relação ao Universo, ou seja, à Matriz Holográfica®, e acessar a consciência da unidade.

Como assim, Elainne? Na Holo Cocriação® da Realidade, para que seu sonho se realize, você precisa transcender a percepção de que você está separado dele no espaço e no tempo, a qual condiciona sua felicidade a um evento futuro externo e incerto, reforçando seus sentimentos de escassez. A separação que sua mente faz entre seu presente de escassez e seu almejado futuro de abundância anula os efeitos do Emaranhamento Quântico.

Por outro lado, se você é capaz de não se identificar com sua atual realidade desafiadora, não reagir emocionalmente a ela e não permitir que ela defina seu estado de ser, ou melhor, sua Frequência Vibracional®, de modo a eliminar a percepção de separação entre quem você está agora e quem você deseja ser, alinhando seus pensamentos, sentimentos e comportamentos, você ancora uma relação de unidade com a Matriz Holográfica® e, assim, é possível sentir que já é e já tem o que deseja.

Em outras palavras, o conceito de Emaranhamento Quântico explica o famoso jargão da cocriação, "ser para ter", uma vez que quando antecipa e assume o sentimento de que seu sonho já lhe pertence e já está feito, você põe em movimento o poder dos emaranhamentos quânticos para manifestar a realidade correspondente à frequência de abundância que você está emitindo.

> **EXERCÍCIO**
>
> Conforme o que acabou de aprender com a explicação sobre o Emaranhamento Quântico, você não está separado do seu sonho; pode perceber que ele ainda não está presente na sua realidade física, mas energeticamente estão conectados, e ele já existe na Matriz Holográfica®. Para trazer seu sonho do mundo das infinitas possibilidades para o seu mundo físico, é preciso sentir, ver, ouvir, imaginar e viver como se o seu sonho já fosse real – é assim que você se torna um cocriador!

> **EXERCÍCIO**
>
> *Feche os olhos e imagine o seu sonho realizado agora;*
> *Quem está ao seu lado neste momento?*
> *O que essa pessoa está dizendo para você?*
> *Foi difícil chegar até ele ou foi fácil?*
> *Aproprie-se da cena, experimente seu sonho realizado;*
> *Como você se sente?*
> *Curta a sensação pelo tempo que desejar!*

g) Função de Onda e Colapso da Função de Onda

As partículas quânticas não são partículas propriamente ditas, isto é, não possuem existência física ou material; elas são ondas de pura energia. Assim, a expressão "função de onda" é o termo científico usado para indicar a probabilidade de uma onda que está sendo observada por uma consciência se materializar em uma determinada região do espaço atômico, convertendo-se em partícula, ou seja, transitando da energia pura sutil para a energia densa da matéria, adquirindo existência física.

Traduzindo: função de onda é a realidade energética potencial da Matriz Holográfica® que contém o holograma do seu sonho realizado. O seu desejo, seja ele qual for, tecnicamente é uma função de onda no Campo Quântico. E existe um determinando contexto no qual há uma maior probabilidade de essa função de onda se converter em matéria na sua realidade física, o qual você é 100% responsável por viabilizar através da elevação da sua Frequência Vibracional®.

Quer dizer, da mesma maneira que os cientistas podem usar equações para prever e indicar a órbita mais provável em que uma partícula pode se materializar, você também pode prever e antecipar as condições ideais para que seu sonho se realize e adequar seus comportamentos para isso.

Por exemplo, se você deseja cocriar saúde, é muito pouco provável que sua cura se materialize em um contexto de reclamação, vitimização, autopiedade e medo; mas é extremamente provável que a função de onda que você chama de cura se torne realidade física em um contexto de aceitação, perdão, compaixão e alegria.

FÍSICA QUÂNTICA

Quando uma função de onda observada se materializa e se torna partícula na realidade física, essa conversão é denominada de Colapso da Função de Onda, que corresponde, portanto, ao movimento energético pelo qual uma função de onda "sai" das infinitas possibilidades da Matriz Holográfica® e passa a existir no tempo e no espaço da nossa realidade tridimensional.

Isso significa que a Física Quântica comprovou cientificamente o poder da mente sobre a matéria, assunto que desde sempre foi rotulado "ocultismo". É irônico que a Física, enquanto ciência que sempre se apresentou avessa a conhecimentos metafísicos, acabou por provar cientificamente a existência da relação entre mente e matéria, em especial diante das provas irrefutáveis de que as partículas quânticas se subordinam às intenções da consciência do observador produzidas a partir do Experimento da Dupla Fenda.

O grande segredo da Holo Cocriação® se revela: para cocriar seus sonhos, você precisa emitir através do seu campo eletromagnético a Frequência Vibracional® correspondente à função de onda que deseja colapsar para que, assim, a onda do seu sonho se converta em partícula, isto é, torne-se realidade material na sua vida.

b) Efeito Zenão

Em seus experimentos, os cientistas constataram que uma amostra de matéria radioativa, a qual possui a propriedade de se desintegrar, se não for observada, tem a probabilidade de 50% de começar a se desintegrar após uma hora, mas, se um cientista ficar olhando para ela, esperando que a desintegração comece, a probabilidade cai para 1%.

Alan Turing (1912-1954), cientista britânico que inspirou o famoso filme *O jogo da imitação*, constatou através de um experimento que, quando uma partícula tem seu movimento constantemente observado por um pesquisador, sua atividade é diminuída ou até anulada, de modo que ela não se modifica.

Essa constatação de que um sistema de partículas não se modifica e praticamente "congela" sua atividade diante da expectativa ansiosa do observador recebeu o nome de Paradoxo de Turing, mas é muito mais conhecida por outra denominação: Efeito Zenão Quântico.

Lembre-se sempre de que estamos, em última instância, falando de átomos e suas partículas, por isso, tudo o que vale para os átomos dos experimentos científicos, também vale para os átomos do seu corpo e da sua realidade.

Portanto, com relação à Holo Cocriação® da Realidade, a primeira conclusão a que chegamos é que se você ficar "olhando" demais para seus problemas, a probabilidade de eles desaparecerem é muito pequena (por "ficar olhando para os problemas", entenda-se ficar reclamando, comentando, julgando, criticando, divulgando, falando sobre, remoendo etc.)! A outra conclusão é que o processo de cocriação de sonhos é paralisado diante da expectativa ansiosa, insegura ou desesperada do pretenso cocriador.

Em outras palavras, o Efeito Zenão opera em duplo sentido negativo na cocriação dos sonhos: ele tanto impede a desmaterialização dos problemas, doenças e demais situações adversas, como também impede a materialização das soluções, sonhos e desejos.

O fato é que o processo pelo qual você transmuta uma realidade indesejada na realidade dos seus sonhos precisa ser leve, suave, tranquilo e, sobretudo, divertido, sempre permeado pelas frequências elevadas da aceitação, do amor e da alegria.

Quando uma pessoa está aplicando os princípios e técnicas de cocriação, mas sustenta um sentimento de pressa, desespero, incerteza e até mesmo mentaliza que sua cocriação é uma questão de vida ou morte, ela emite uma vibração de vitimização, escassez e profunda ansiedade que neutraliza a movimentação energética necessária para provocar o colapso da função de onda.

É neste sentido que Joe Vitale ensina que "você pode cocriar tudo que desejar, desde que não precise", ou seja, você pode desejar ardentemente que seu sonho se realize, mas se tiver o sentimento de que é capaz de viver, ser feliz e se sentir pleno mesmo que ele não se realize, multiplica infinitamente a probabilidade do colapso da função de onda ocorrer.

O segredo é considerar a realização do seu sonho não como uma necessidade, muito menos como uma urgência, mas como um bônus, um adicional que vai potencializar seu estado já vigente de pleno contentamento e gratidão pela vida.

Assim, você deve se dedicar à prática das técnicas, à manutenção da sua Frequência Vibracional® através da auto-observação e à execução das ações necessárias à realização do seu sonho, mas, sobretudo, você precisa desenvolver a habilidade de se SENTIR genuinamente feliz, abundante e grato(a) antes que algo se realize. Quando acessa esse estado, entra na frequência da cocriação, em total alinhamento com a alegria e harmonia do Criador.

Dessa maneira, é fundamental que você elimine qualquer tipo de ansiedade, dúvida ou sentimento afim e consiga tirar o seu foco do resultado desejado para se divertir com cada aprendizado, cada sincronicidade e cada serendipidade que vai ocorrer durante a jornada. Esse sentimento e comportamento de entusiasmo, gratidão e alegria durante o processo, com total confiança e zero ansiedade, é o que chamamos de SOLTAR, outro elemento essencial da Holo Cocriação®.

O PRÓXIMO NÍVEL

Para evitar o Efeito Zenão e conseguir realmente soltar o sonho, liberando sua ansiedade, uma estratégia fabulosa e extremamente divertida é começar a cocriar um novo sonho, ainda melhor que o que você está soltando agora! Então, pressupondo que o primeiro sonho já é seu e já é real, pergunte-se, responda, imagine, visualize...

Qual é o próximo nível do meu sonho?
O que eu posso cocriar que é ainda melhor?

A diversão de, sem compromisso, "viajar" nas infinitas possibilidades e expandir seu sonho para um próximo nível vai liberar sua ansiedade e tensão!

EXERCÍCIO 1

SOLTAR

Crie a cena, imagine e sinta seu sonho;
Relaxe, permitindo que as imagens impregnem na sua mente inconsciente;
Entre em Ponto Zero;
Então, coloque a cena do seu sonho dentro de uma bolha cor-de-rosa e permita que essa bolha suba em direção ao centro do Universo.
Agradeça e confie!

EXERCÍCIO 2

i) Outros princípios importantes da Física Quântica relacionados à Holo Cocriação®

PRINCÍPIO DA SIMETRIA – As mesmas leis que se aplicam ao comportamento das partículas subatômicas também se aplicam ao comportamento da consciência humana. Ou seja, você pode aplicar, com segurança, os princípios da Física Quântica para resolver seus problemas e cocriar a realidade que desejar.

PRINCÍPIO DA COMPLEMENTARIEDADE (ou Princípio da Dualidade Onda-Partícula) – As partículas subatômicas possuem, simultaneamente, uma natureza física e não física, local e não local; coexistem em duas dimensões complementares em que são, ao mesmo tempo, onda e partícula. Na prática, esse princípio evidencia a relação entre as realidades material e psíquica, de modo que para cada sonho que você conseguir imaginar (onda), existe, necessariamente, um correspondente material (partícula).

PRINCÍPIO DO TUNELAMENTO QUÂNTICO – A vibração das partículas subatômicas que são contidas e confinadas em um espaço infinitamente pequeno tende a aumentar, e esse aumento de energia possibilita um salto quântico para uma órbita onde a partícula possa se libertar da contenção. Na prática da Holo Cocriação®, isso quer dizer que existe uma energia infinita disponível para servir de trampolim para quem está no "fundo do poço", energia capaz de promover a reversão de qualquer situação limitadora. Para acessar essa energia, obviamente, é necessária a elevação do nível de consciência.

PRINCÍPIO DA INCERTEZA DE HEISENBERG – O alemão Werner Heisenberg (1901-1976) ganhou o prêmio Nobel de Física em 1932 por ter postulado o seguinte princípio: no mundo subatômico não é possível determinar simultaneamente a velocidade e a posição de uma partícula, de modo que, quanto mais precisão na determinação da velocidade, menor precisão haverá na determinação da posição e vice-versa. Na prática da Holo Cocriação®, esse princípio evidencia que os problemas e a realidade desafiadora que você está experimentando agora são apenas uma dentre infinitas possibilidades e que, portanto, é possível escolher experimentar uma possibilidade diferente realizando ajustes na sua Frequência Vibracional®.

Capítulo 3
Neurociências

As Neurociências são o terceiro fundamento da Holo Cocriação®. Usa-se o termo assim no plural porque, quando falamos em Neurociências, não estamos falando apenas de uma área de conhecimento, mas de um conjunto de ciências afins. Todas têm por objeto de estudo o funcionamento do cérebro e do sistema nervoso e a manipulação terapêutica desse funcionamento para melhorar a saúde física, mental e emocional, bem como contribuir para o desenvolvimento humano de modo que as pessoas possam moldar seus hábitos e comportamentos para realizar seus objetivos, isto é, para cocriar seus sonhos.

O conhecimento das Neurociências nos possibilita expandir nosso poder de Holo Cocriadores®, porque acessamos a compreensão a respeito da relação entre a mente consciente e a mente inconsciente, reprogramação de crenças e hábitos, neuroplasticidade e visualização holográfica, entre outros temas relevantes para a autotransformação, autocura e cocriação de sonhos.

a) Mente consciente e mente inconsciente

Nossa mente individual tem duas expressões complementares: a mente consciente e a mente inconsciente, as quais possuem funções específicas. Basicamente, a mente consciente é responsável por governar nossos atos voluntários, decisões e execução de tarefas, enquanto a mente inconsciente é responsável por armazenar nossas memórias, governando nossos padrões de pensamentos e comportamentos automáticos, crenças, emoções e as chamadas funções fisiológicas involuntárias relacionadas com a operação do sistema nervoso autônomo.

Veja na tabela abaixo as particularidades de cada aspecto da mente humana:

MENTE CONSCIENTE	MENTE INCONSCIENTE
Objetiva, racional e lógica.	Subjetiva e irracional.
Controlada pela vontade.	Involuntária.
Responsável pela comunicação com o mundo exterior.	Responsável pela comunicação interna e comunicação com a Mente Cósmica.
Analisa as informações, validando-as ou não como verdadeiras.	Não analisa, é imparcial, sempre validando as informações como verdades.
Não possui memórias ou padrões automáticos, só consegue focar em um pensamento ou atividade de cada vez.	Registra todas as experiências e emoções através de memórias que criam crenças e padrões automáticos.
Lar dos pensamentos.	Lar das emoções.
Determina as ações.	Determina as reações.
Distingue realidade física e imaginação.	Não diferencia realidade física e imaginação.

Essa divisão de tarefas entre mente consciente e mente inconsciente ocorre de maneira aparentemente desproporcional, no sentido de que a mente consciente governa apenas 5% dos nossos comportamentos enquanto a mente inconsciente é responsável por 95%, motivo pelo qual nem sempre (ou quase nunca) conseguimos cocriar a realidade desejada, apesar de nossas intenções e ações conscientes.

Nossa mente consciente constantemente avalia as situações e nos orienta em nossas escolhas e decisões, desde ações cotidianas, como a escolha da roupa para sair, a decisões mais complexas, como mudar de cidade ou terminar um relacionamento. Este é o trabalho da mente consciente: pensar, analisar, avaliar, calcular, racionalizar etc., verificando sempre o custo-benefício de uma determinada escolha, de modo a nos conduzir à satisfação, ao bem-estar e à realização pessoal.

Acontece que, como você já deve ter reparado, nem sempre sabemos qual é a melhor decisão a tomar diante de uma situação mais complexa e, o pior, muitas vezes acabamos fazendo escolhas "erradas" que impedem nossas vidas de fluir e nos prejudicam em algum nível, inclusive podendo chegar ao nível de uma escolha autodestrutiva.

NEUROCIÊNCIAS

Isso ocorre justamente porque quem "manda" de verdade não é a mente consciente, mas a mente inconsciente com seus 95% de poder. Aquela conhecida metáfora do iceberg realmente é a melhor maneira de ilustrar essa relação desproporcional entre os poderes da mente consciente e mente inconsciente. Em resumo, 95% das escolhas que fazemos são baseadas em conteúdos submersos dos quais não temos consciência. Como não temos acesso direto a esses conteúdos, há quem passe uma vida inteira agindo condicionado pelos padrões inconscientes.

A dificuldade que a maioria das pessoas tem para alcançar o sucesso e a prosperidade financeira, para ter um relacionamento feliz, para se curar de alguma doença ou para conquistar aquilo com que sonham é que, na avaliação custo-benefício feita pela mente, o benefício é avaliado pela mente consciente, mas o custo é avaliado pela mente inconsciente, em conformidade com as crenças da pessoa.

Em outras palavras, enquanto a mente consciente estabelece os "prós" ao desejar, pensar e escolher uma determinada realidade ideal, a mente inconsciente estabelece os "contras", apresentando objeções na forma de crenças limitantes e memórias de dor.

Por exemplo, a pessoa deseja conscientemente comprar um carro, ela pensa como vai ser bom ter um carro, a liberdade, a comodidade e em todas as vantagens de ter o próprio meio de transporte e não precisar mais se submeter ao transporte público lotado.

Porém, se essa pessoa tiver crenças limitantes de escassez ou de medo, sua mente inconsciente vai apresentar objeções na forma de uma "vozinha" interna sabotadora que aponta os "contras", isto é, os possíveis problemas que podem ocorrer caso decida sair da zona de conforto e agir para realizar seu desejo, de maneira que surgirão pensamentos como "a gasolina é muito cara", "o IPVA é um absurdo", "os parentes vão ficar com inveja", "quem anda de carro corre mais risco de ser assaltado" e similares.

Nessa "balança" mental dos custos e benefícios, o fiel se orienta pelas crenças e memórias, pelas verdades pessoais e pela autoimagem que a pessoa tem de si. Por isso, apesar de conscientemente todo mundo desejar sucesso, prosperidade, alegria, paz e amor, nem todo mundo consegue cocriar a realidade abundante que deseja.

Mas, apesar de tudo isso, com as estratégias e ferramentas certas, você pode usar seus modestos 5% de mente consciente para reprogramar sua mente inconsciente para o sucesso. É justamente para isso que existe o Holo Cocriação de Objetivos, Sonhos e Metas®,[5] o melhor treinamento para você reprogramar sua mente inconsciente de modo que ela trabalhe em favor dos mais lindos sonhos que você possa desejar com sua mente consciente.

b) Memórias e crenças limitantes

Objetivamente, crença é tudo aquilo que você acredita que é verdade, mas que nem sempre é, aliás, quase nunca. Em uma metáfora, suas crenças são os programas instalados no computador da mente, responsáveis por sua operação dentro de certos parâmetros.

Como um computador não funciona sem programas e um celular não funciona sem aplicativos, nós também não funcionamos sem crenças, pois são elas que a todo momento orientam nossas escolhas, decisões, reações, comunicação, interação com a realidade e comportamentos em geral. As crenças existem para garantir nossa própria sobrevivência e, além disso, também orientam a busca individual pelo bem-estar, satisfação e plenitude.

As crenças podem ser positivas, construtivas e empoderadoras ou negativas, destrutivas e desestimulantes, na medida em que facilitam nossa realização pessoal e são favoráveis à vida em si ou impedem e bloqueiam nosso crescimento, mantendo-nos estagnados na vida.

Suas crenças são como profecias autorrealizáveis: você acredita que a realidade é de uma determinada maneira e a realidade se apresenta conforme você acredita, validando e fortalecendo sua crença. Então, logo você pensa "eu sabia que seria assim", fortalecendo ainda mais a crença, repetindo a manifestação na realidade em um processo infinito de retroalimentação, até que você decida conscientemente interrompê-lo.

Até que você torne o inconsciente consciente, ele governará sua vida e você vai chamá-lo de destino.

CARL G. JUNG

---

[5] Disponível em: https://www.holococriacao.com.br/listadeespera. Acesso em: 27 jul. 2022.

As crenças existem para garantir nossa própria sobrevivência e, além disso, também orientam a busca individual pelo bem-estar, satisfação e plenitude.

É importante compreender que suas crenças não servem para prever a realidade, mas para criá-la! Nada no Universo é por acaso e não existem coincidências – cada vez que, diante de uma situação, você afirma "eu sabia que daria certo" ou "eu sabia que daria errado", você não previu o futuro, você criou esse futuro.

Essas supostas "previsões" ou "coincidências" da realidade se manifestando conforme suas crenças são exatamente o que se chama de cocriação de realidade, processo que pode ser consciente ou não, mas que está acontecendo vinte e quatro horas por dia na sua vida! Você sempre está manifestando na realidade física o correspondente material da vibração emitida por seus pensamentos e emoções, daquilo que você acredita e direciona sua atenção, de modo que na qualidade de observador quântico, você colapsa as funções de onda equivalentes às suas próprias crenças.

O "lar" das crenças é a nossa mente inconsciente, onde elas são literalmente instaladas em decorrência de experiências pontuais impactantes ou experiências repetitivas, e em ambos os casos, em associação com as emoções produzidas pelas experiências, positivas ou negativas.

Nosso conjunto de crenças é formado ao longo da vida, sendo que as mais profundamente enraizadas em geral são aquelas que foram programadas durante a infância. Os principais elementos que atuam na formação das crenças são:

- Falas repetidas e comportamentos observados nos pais ou outros adultos de referência que tiveram papel relevante da criação da criança ao longo da infância;
- Interação com colegas de infância (bullying, por exemplo);
- Mídia e cultura (desenhos animados, filmes, livros e outras atividades de entretenimento);
- Religião (o que você aprendeu sobre Deus, como Ele age e como você deve se relacionar com Ele, incluindo, especialmente, a noção de pecado);
- Experiências emocionalmente muito impactantes (vitórias, conquistas, traumas, abusos etc.).

Enfim, tudo o que você viu, ouviu, sentiu, viveu e experimentou com intensidade emocional ficou fisicamente arquivado no seu cérebro em seus

NEUROCIÊNCIAS

circuitos neurais, formando as suas memórias de longo prazo, que são as memórias gravadas na sua mente inconsciente. Quanto mais alto tiver sido o coeficiente emocional da experiência, mais forte será a memória e a crença a ela associada.

A crença relacionada com a memória opera no mecanismo da mente inconsciente como um recurso de garantia de sobrevivência e bem-estar. Se a experiência memorizada foi positiva, a crença associada será também positiva e orientará o comportamento da pessoa no sentido de repetir a experiência. Se a vivência memorizada foi negativa, a crença associada também o será e orientará o comportamento da pessoa para evitar a todo custo a repetição da experiência, ainda que isso implique na não satisfação dos desejos conscientes, expressando a comprovação científica do ditado popular que afirma que "gato escaldado tem medo de água fria!".

Uma experiência traumática é neurologicamente gravada no cérebro e emocionalmente registrada na mente inconsciente, programando uma crença que molda e baliza a maneira com que a pessoa pensa, sente, age e interage com o mundo para evitar que novas experiências similares aconteçam.

Por exemplo, uma mulher tinha um relacionamento com um rapaz que ela amava muito e lhe parecia perfeito. Daí, ela descobre que o "cara perfeito", em quem ela confiava 100%, limpou a sua conta bancária, roubou suas joias e fugiu com a sua melhor amiga. Passados dez anos dessa experiência traumática, essa mulher ainda está sozinha e todas as vezes em que tenta um novo relacionamento, seu medo de ser traída novamente a impede de se entregar. A crença de que "homens traem" opera como um mecanismo de proteção para que ela nunca mais corra o risco de ser traída e, assim, ela continua sozinha, mesmo desejando conscientemente um novo relacionamento feliz e saudável.

Esse exemplo ilustra a premissa de que nós não cocriamos com nossa mente consciente, mas com nossa mente inconsciente e que, por isso, precisamos limpar as programações limitantes para que a mente se alinhe com nossos desejos conscientes. Como se faz isso? É o que eu vou explicar a seguir.

> **EXERCÍCIO**
>
> **REFLETINDO SOBRE SEUS SONHOS**
>
> Leia, reflita e responda por escrito (à mão), as perguntas abaixo.
>
> - O que você pensa sobre a vida, o que você acredita sobre a vida?
> - O que você acredita sobre si mesmo?
> - O que realmente é importante para você na vida?
> - Quais seus maiores sonhos?
> - O que lhe impede de realizá-los? Quais são suas limitações para realizá-los?
> - Isso depende de quem?
> - O que custa para você, hoje, não ter isso? Qual preço que você paga hoje, por não ter isso?
> - E, no futuro, o que irá lhe custar não ter isso?
> - O que você pode fazer agora para mover-se em direção ao seu sonho?
> - Qual é seu nível de comprometimento com isso?
>
> Depois, releia tudo e observe seus sentimentos, suas reações, aquilo que o move e também aquilo que não faz sentido na busca de seus ideais.

c) Identificação de crenças

O primeiro passo para modificar uma crença é a sua identificação, pois para começar a se dedicar, pensar e agir de maneira diferente, você precisa trazer para a consciência seus padrões automáticos inconscientes. Quando você sabe que tem uma crença, consegue perceber quando está atuando para limitar suas possibilidades ou sabotar seus desejos.

Quero compartilhar com você o que faço quando percebo em mim algum pensamento ou comportamento limitante que pode indicar a presença de uma crença – eu simplesmente me faço a pergunta: *"Elainne, você acredita mesmo nisso?"* Se minha resposta for *"sim, eu acredito"*, então eu logo sei que estou diante de uma crença que precisa ser limpa e, imediatamente, uso a Técnica Hertz®!

Vou dar três exemplos. O primeiro é quando desejo duplicar meu faturamento e logo surgem pensamentos na forma de uma conversa interna que diz *"isso não é possível, você pode até aumentar um pouco, mas duplicar é impossível"*. Daí, eu me pergunto: *"Elainne, você acredita*

NEUROCIÊNCIAS

mesmo que é absolutamente impossível duplicar o faturamento?", e também me questiono: *"existe alguma empresa que já conseguiu duplicar seu faturamento?"*.

Então, se respondo que acredito que é impossível duplicar meu faturamento, *mas* sei de outras empresas e pessoas que conseguiram, percebo que estou diante de uma crença limitante, faço a desprogramação e reprogramação necessária com a Técnica Hertz® e começo a executar as ações para realizar meu objetivo.

O segundo exemplo é referente a outra área da minha vida, o relacionamento afetivo. Por muito tempo, eu acreditei que era impossível alguém se interessar por mim, pelo fato de ter três filhos. Acreditava também que permanecendo sozinha, teria uma ascensão profissional muito mais rápido, pois manteria meu foco. E que o amor machuca e causa sofrimento.

O terceiro exemplo é sobre meu emagrecimento e conquista do corpo dos sonhos. Da mesma maneira que na cocriação da minha alma gêmea, muito antes de me dedicar a cuidar do meu corpo, eu já tinha identificado algumas crenças: apego pelas minhas roupas, achava que se emagrecesse, perderia todas as roupas lindas e caras que demorei para conquistar e amava. Também acreditava que, se continuasse acima do peso, poderia me dedicar mais ao trabalho, pois, me sentindo gorda e "feia", não teria motivação para sair e conhecer pessoas que poderiam me atrapalhar.

O curioso aqui é que eu identifiquei a presença dessas crenças muito antes de começar a me dedicar para limpá-las e reprogramá-las. Eu só tinha consciência delas, sabia que elas estavam ali me acompanhando e sabia que um dia iria cuidar delas. E sabe por que, mesmo identificando essas crenças, as "arquivei", coloquei em uma gaveta e não olhei para elas? Porque, por bastante tempo, cocriar minha alma gêmea ou ter o corpo dos sonhos não eram prioridades para mim, afinal, eu tinha três filhos e uma empresa para cuidar, e minha prioridade máxima era desprogramar minhas crenças de escassez para conquistar meu sucesso profissional e financeiro.

Isso quer dizer que você não precisa nem deve tentar reprogramar todas as suas crenças de todos os pilares da sua vida de uma vez só; você deve estabelecer prioridades, hierarquizando suas dores e sonhos – o que dói mais? Não ter dinheiro? Estar acima do peso? Estar solteiro(a)? Morar de aluguel? Trabalhar com algo que você não ama?

É importante que você identifique a prioridade para que possa focar toda a sua atenção e energia em uma coisa de cada vez em vez de dividir seu foco com várias coisas ao mesmo tempo, querendo "abraçar o mundo com as pernas", o que normalmente leva a resultados frustrantes.

> **EXERCÍCIO**
>
> **PÓDIO DAS NECESSIDADES E EMOÇÕES (CRIADO POR ILIOS KOTSOU)**[6]
>
> Faça uma lista dos seus sonhos e suas necessidades, depois coloque-as em ordem de importância. Em seguida, analise as emoções que elas lhe causam e se pergunte: É uma necessidade física ou emocional? Básica ou não? Qual emoção lhe vem? Como se sente?

Acredite, todas as crenças, mesmo as mais limitantes e disfuncionais, possuem vantagens. Todas as crenças que você tem "rodando" na sua mente, no momento em que foram "instaladas", favoreceram sua sobrevivência. Você se beneficiou delas no passado e talvez ainda esteja se beneficiando agora através de ganhos secundários ou justificativas para permanecer na zona de conforto. Portanto, para mudar é preciso avaliar os ganhos e as perdas, estando disposto a abrir mão de pequenas vantagens colaterais para obter um benefício maior e mais significativo.

Assim, além de identificar suas crenças, é importante que você reflita sobre o que você está ganhando ao mantê-las operantes, determinando seus comportamentos. Possivelmente, você terá de fazer uma troca: desapegar dos seus ganhos secundários, escolher sair da zona de conforto e agir para concretizar seus objetivos e realizar os seus sonhos. Basicamente, você precisa avaliar se suas crenças combinam com suas prioridades, ou não.

Claro, temos um exercício específico para guiá-lo nesse mergulho em si mesmo(a) em busca das suas crenças:

---

[6] KOTSOU, I. **Caderno de exercícios de Inteligência Emocional**. Petrópolis: Vozes, 2014.

IDENTIFICAÇÃO DE CRENÇAS LIMITANTES

PASSO 1 – Quais são suas verdades?

Perceba quais são seus pensamentos, percepções e verdades sobre os pilares fundamentais da vida e sobre outras coisas que são importantes para você.

Imagine que você está entrevistando a si mesmo(a) e responda por escrito, em um papel, o que você pensa e sente sobre:

- Ser rico(a);
- Ter sucesso profissional;
- Trabalhar com aquilo que ama;
- Casamento;
- Relação com os pais;
- Relação com os filhos;
- Cuidados com a saúde;
- Alimentação;
- Prática de atividade física;
- Sexo;
- Lazer;
- Deus;
- (qualquer outra coisa importante para você).

PASSO 2 – Questionamento

Confronte seus pensamentos e constatações para investigar se realmente trata-se de uma verdade objetiva ou se é uma verdade que você criou, isto é, se é uma crença.

Questione todas as suas anotações feitas no Passo 1 respondendo, para cada uma delas, as seguintes perguntas:

- Isso é verdade mesmo?
- Isso é universalmente válido? É assim para todas as pessoas da Terra?
- Uma pessoa com uma personalidade um pouco mais positiva que a minha pensaria diferente?
- E se eu pensasse de maneira diferente, como pensaria? Como eu gostaria de pensar?
- Quais são as vantagens de pensar assim?
- Quais seriam as vantagens de pensar de outra maneira?
- Essa forma de pensar é favorável aos meus interesses e à cocriação dos meus sonhos?
- Eu gostaria de mudar essa forma de pensar?

d) Reprogramação de crenças

Existe uma infinidade de técnicas e ferramentas terapêuticas que podem ser aplicadas na reprogramação das crenças e, claro, todas merecem ser levadas em consideração. Porém, se você deseja desprogramar suas velhas crenças de medo, limitação, fracasso e escassez e programar suas novas crenças de sucesso, prosperidade e abundância de maneira acelerada e com eficácia potencializada, recomendo fortemente a prática da Técnica Hertz®.

E sabe por que tenho total segurança em recomendar a Técnica Hertz®? Porque eu a criei, porque ela mudou a minha vida; porque percorri todo o caminho, passei anos e anos estudando, fazendo formações e experimentando uma grande variedade de técnicas até que tive a inspiração para elaborar a minha própria técnica.

"Só" ter mudado minha vida não é suficiente para você acreditar? Então você precisa acompanhar minhas redes sociais e ver os depoimentos dos milhares de alunos do Brasil e do mundo inteiro que conseguiram reprogramar suas mentes para o sucesso e a felicidade!

Entenda, contudo, que a reprogramação de crenças não é algo que se faz uma vez e pronto; a reprogramação é um processo que demanda dedicação e tempo, inclusive, às vezes, pode demandar mais tempo do que você gostaria. É por isso que a Técnica Hertz® em sua versão completa, tal como eu ensino no treinamento Holo Cocriação de Sonhos e Metas®, solicita a prática disciplinada da técnica por sessenta e três dias.

Pense comigo, se você levou dez, vinte, trinta anos cultivando uma crença negativa, não parece lógico querer que ela se desfaça da noite para o dia, não é? Claro, eventualmente isso pode acontecer, é o que chamamos de salto quântico da consciência, mas, em regra, as mudanças e os resultados são percebidos de maneira gradual, decorrentes de um processo em que as novas informações são programadas e começam a ser executadas.

A reprogramação das crenças também pressupõe um compromisso com a própria mudança, que demanda acreditar, aceitar e se entregar a uma nova possibilidade. Além disso, claro, é indispensável incorporar o hábito da auto-observação e da autocorreção – percebeu que a crença apareceu? Iniba-a, afirme e confirme sua mudança agindo de modo consciente, em congruência com a nova crença que você está programando.

NEUROCIÊNCIAS

Exemplo simples: começou a reclamar ou julgar? Sem querer, falou frases limitantes (eu não posso, eu não sei, eu não tenho, eu não consigo etc.)? Foi raivosamente reativo? Focou a escassez? Basta se lembrar de quem é seu novo eu e não alimentar a sequência de pensamentos negativos que anteriormente seria desencadeada. É assim que você muda, não tem mágica, apenas dedicação!

Joe Dispenza, sabiamente, ensina que a alteração de uma crença pressupõe uma experiência interna emocionalmente impactante o suficiente para afetar seu corpo e sua mente de uma maneira mais intensa e profunda que qualquer experiência anterior. Em outras palavras, ele confirma o entendimento de que a mudança ocorre de dentro para fora e que a Visualização Holográfica é a ferramenta essencial que possibilita as experiências internas que vão reprogramar sua mente e sua realidade. Mais para frente, explicarei em detalhes a importância da Visualização no processo de reprogramação de crenças e cocriação de sonhos.

TÉCNICA HERTZ®
Reprogramação de Crenças

No meu treinamento fechado Holo Cocriação de Sonhos e Metas®, como já comentei, ensino a prática completa da Técnica Hertz® em seus três poderosos ciclos – desprogramação, reprogramação e programação. Aqui, depois de falar tanto da Técnica, eu não poderia deixá-lo sem a oportunidade de experimentá-la.

Um aspecto incrível da Técnica Hertz® é que você não precisa necessariamente conceituar sua crença para desprogramá-la; você pode trabalhar com a mudança da polaridade dos seus sentimentos, caso você não saiba ao certo qual é sua crença principal ou apenas prefira fazer assim.

Por exemplo, se você tem certeza de que sua crença principal sobre dinheiro é "ganhar dinheiro depende de muito esforço e suor", durante a prática da técnica você pode nomear a crença e afirmar a polaridade contrária da crença, algo como "o dinheiro flui para mim com abundância e facilidade".

Mas, se você, apesar de estar experimentando sintomas de escassez financeira, não souber exatamente qual é a crença que está determinando sua realidade de falta de dinheiro, pode limpar seus pensamentos, sentimentos e comportamentos de escassez, pobreza, falta, fracasso, limitação, vitimização e o que mais você sentir que está vibrando em você.

EXERCÍCIO

COCRIADOR DA REALIDADE

EXERCÍCIO

Você pode fazer de um jeito ou de outro, como também pode fazer dos dois jeitos ao mesmo tempo: limpando a crença e os sentimentos e afirmando as polaridades positivas do seu novo Eu Sou. Outro fato incrível sobre a Técnica Hertz® é que não existe jeito errado de praticar!

Veja como fazer:

Sente-se com a coluna ereta, pernas descruzadas, pés no chão e olhos fechados;

Inspire contando até sete e sustente os pulmões cheios por sete segundos;

Exale contando até sete e sustente os pulmões vazios por sete segundos;

Durante o tapping (batidinhas) na mão, repita:

Fonte Criadora, Criador de Tudo o que É, Divino Criador, Limpa em mim:
Crença de que "ganhar dinheiro depende de muito esforço e suor"
e/ou
Sentimentos, pensamentos e comportamentos de escassez, pobreza, falta, limitação e fracasso.
Está cancelado, cancelado, cancelado!
Transforma!
Entre em Ponto Zero (ausência total de pensamentos)

Fonte Criadora, Criador de Tudo que É, Divino Criador, Eu Sou:
Eu Sou dinheiro fluindo em abundância e com facilidade em minha vida agora
e/ou
Eu Sou riqueza, Eu Sou prosperidade, Eu Sou abundância
Está feito, está feito, está feito!
Integra!
Entre em Ponto Zero
Divino Pai, Mãe, Filho, Espírito Eu Sou, Eu Sou grato(a)
Eu Sou grato(a) pela abundância e prosperidade financeira em minha vida agora; Eu Sou grato(a) porque o dinheiro flui para mim com facilidade

NEUROCIÊNCIAS

> **EXERCÍCIO**
>
> *Está feito, está feito, está feito!*
> *Integra!*
> *Entre em Ponto Zero*
>
> Agora, o tapping nos pontos da cabeça, face e pescoço:
> No tapping do ponto da lateral do pescoço, ao afirmar o comando *Eu Sou a Mudança*, visualize as imagens da sua mudança, do seu novo eu.
>
> Para finalizar, coloque as mãos em prece no centro do peito e comande:
> *Eu Sou o Eu Sou*
> *Eu Sou paz; Eu Sou amor; Eu Sou alegria*
> *Eu Sou riqueza, Eu Sou prosperidade, Eu Sou abundância*
> *Eu Sou o Eu Sou*
> *Eu Sou ativar Poderoso Decreto de Luz*
> *Eu Sou o Eu Sou*
> *Permaneça em Ponto Zero pelo tempo que desejar*
>
> OBS.: você deve repetir a técnica duas vezes por dia durante vinte e um dias.
>
>
> www.tecnicahertz.com.br

e) Neuroplasticidade

Nosso cérebro é uma espécie de "biocomputador", capaz de processar e armazenar enormes quantidades de informação através da comunicação espetacular que ocorre entre as células especiais que o compõem, os neurônios. Sempre que aprendemos algo novo ou temos novas experiências, um grupo de neurônios se reúne, fazendo novas conexões entre si, formando uma rede ou circuito neural responsável por armazenar as informações aprendidas, na teoria ou na prática, como uma memória.

Dessa maneira, nós temos redes neurais para tudo, desde a execução de tarefas simples do dia a dia, como tomar banho ou escovar os dentes, às memórias emocionais mais sutis e complexas da infância, as quais se apresentam mais nítidas ou mais fracas conforme o impacto emocional da experiência e na medida da frequência em que são acionadas.

Cada vez que solicitamos uma dessas memórias e nos lembramos da informação ou experiência, a rede neural correspondente se fortalece, o que evidencia a capacidade da mente para alterar a matéria, uma vez que um novo pensamento e modo de agir, quando repetido, altera a estrutura física da arquitetura neurológica.

Obviamente, você também tem redes neurais para suas crenças limitantes, as quais se expressam como um programa automático e inconsciente decorrente da repetição dos mesmos padrões de pensamentos, sentimentos e comportamentos ao longo da vida.

Na altura dos 30 ou 35 anos, conforme ensina Joe Dispenza, uma pessoa já tem seus circuitos neurais estruturados e organizados de uma maneira mais rígida, que se reflete nos programas automáticos que determinam sua personalidade. Por isso, ao beirar os 40 anos, a famosa "meia-idade", tanto é mais desafiador aprender coisas novas quanto mudar os velhos padrões.

Contudo, novos aprendizados e mudanças de padrão são biologicamente possíveis em qualquer idade graças a uma das propriedades mais magníficas do nosso cérebro, a NEUROPLASTICIDADE. Graças a ela, nossas redes neurais podem ser reorganizadas e reconfiguradas, com a desativação dos circuitos obsoletos e a criação de novos circuitos conforme nossa intenção e conveniência.

A neuroplasticidade é acionada sempre que você decide "pensar fora da caixa", ou seja, sempre que você escolhe ter novos pensamentos e aprender coisas novas, de modo que seu cérebro começa a se reorganizar e funcionar de uma maneira diferente. Os novos pensamentos produzem novas escolhas, que produzem novos comportamentos que, por sua vez, produzem novas experiências e novas emoções, modificando, gradualmente sua personalidade, autoimagem, hábitos e sistema de crenças.

O fato é que seu cérebro tem capacidade infinita de aprendizado, adaptação e otimização do funcionamento, mas você precisa intencionalmente ativar essa capacidade a seu favor, usando da auto-observação e autodisciplina para modificar a si mesmo, alterando seus comportamentos e reações para

NEUROCIÊNCIAS

modificar o padrão de conectividade entre os neurônios e, assim, programar novos hábitos e crenças condizentes com a realização dos seus objetivos.

A neuroplasticidade opera por um mecanismo de poda e brotamento, através do qual as velhas conexões neurais são, literalmente, podadas pelo desuso, enquanto novas conexões brotam, crescem e se fortalecem mediante a repetição consistente das novas informações, até que o padrão de pensamentos, sentimentos e comportamentos gerado pela nova configuração dos circuitos neurais se torne algo natural e espontâneo, o padrão normal do seu novo eu.

Dessa maneira, o segredo da mudança que você deseja é muito simples: **você muda mudando**! Ou seja, a neuroplasticidade não vai acontecer se não houver um estímulo, se você não incorporar de modo disciplinado a mudança que deseja expressar. O processo de mudança é um trabalho diário pelo qual você escolhe conscientemente "trocar de personalidade", pensando, sentindo, falando e agindo em alinhamento com quem você deseja se tornar até ser essa nova pessoa.

As melhores maneiras de manipular a plasticidade do cérebro são a meditação silenciosa, com a qual você "esvazia", desapegando-se dos padrões vigentes, e através da Técnica Hertz®, pela qual você ativa a reprogramação desejada. Contudo, lembre-se de que a prática de técnicas ativa a consciência da mudança, mas, para ela se consolidar, você precisa incorporá-la no seu cotidiano, ou seja, você *faz* a técnica e se dedica a *ser* em conformidade com aquilo que é ativado.

Por exemplo, se você pratica a Técnica Hertz® na intenção de cancelar a escassez e integrar a prosperidade, é indispensável que nas suas atividades diárias fique atento a seus pensamentos, sentimentos, falas e comportamentos de escassez para, "manualmente" inibi-los e corrigi-los de maneira rápida e insistente.

NEUROPLASTICIDADE, ATIVAR!

Quais novas redes neurais e programas você deseja instalar?

Identifique três pequenos hábitos, comportamentos, pensamentos e falas que não estão em alinhamento com a cocriação dos seus sonhos.

Exemplos:

Toda vez que meu filho me pede alguma coisa, eu digo "dinheiro não cai do céu, depende de trabalho suado".

EXERCÍCIO

COCRIADOR DA REALIDADE

EXERCÍCIO

Toda vez que eu olho para a parede da minha casa que tem infiltração, me sinto impotente, limitada e pobre porque não tenho dinheiro para fazer a manutenção.

Quando estou em uma fila, secretamente fico julgando o comportamento, a aparência e até as roupas das outras pessoas.

Sua vez:
_____
_____
_____
_____
_____
_____

Agora, estabeleça metas de autodisciplina e mudança. Como você vai agir para ativar a neuroplasticidade e moldar a sua mudança para entrar em alinhamento com a cocriação dos seus sonhos?

Exemplo:
Quando meu filho me pedir algo que seja verdadeiramente importante para ele, mas que não posso comprar, jamais darei uma resposta que afirme a escassez. Vou dar atenção ao desejo dele e olhar junto com ele fotos e vídeos sobre o que ele quer.

Todas as vezes que olhar para algo na minha casa que precisa de manutenção, vou me lembrar de agradecer muito por ter uma casa e por tudo o que tenho dentro dela.

Vou incorporar o hábito de abençoar silenciosamente as pessoas na rua.

Sua vez:
_____
_____
_____
_____
_____
_____

A mudança é simples: comece a agir e ser essa nova pessoa!

O segredo da mudança que você deseja é muito simples: você muda mudando!

f) Visualização Holográfica

Até aqui você entendeu que tudo o que viveu e experimentou de maneira emocionalmente significativa ficou gravado na sua mente inconsciente e está determinando a perspectiva sob a qual você vê a si mesmo e o mundo, muito possivelmente comprometendo sua capacidade de cocriar a realidade que você tanto deseja.

Bem, a melhor parte dessa história toda é que do mesmo modo que as experiências traumáticas e emocionalmente impactantes que você teve instalaram crenças limitantes na sua mente, novas experiências positivas e também emocionalmente impactantes têm o poder desinstalar as velhas crenças e instalar novas, programando sua mente para o sucesso.

Aí você me pergunta, "Elainne, onde e como eu vou ter essas novas experiências positivas se minha situação atual é desesperadora?". A resposta é: você pode ter essas experiências maravilhosas capazes de reprogramar sua mente, seu corpo, seu DNA, sua realidade e sua vida na sua **imaginação**! Isso mesmo, o segredo está bem guardado dentro de você!

Sabe quando seu computador dá problema e o técnico diz que você precisa trocar a memória, substituindo a peça antiga que está saturada por uma nova? É a mesma coisa com sua mente – se você só está cocriando problema, é porque precisa trocar as memórias! E o mais incrível é que você pode produzir as memórias que desejar sem precisar ter experiências na realidade física, experimentando antecipadamente seus sonhos realizados usando a sua própria imaginação através da Visualização Holográfica.

Umas das mais magníficas comprovações das Neurociências é que nossa mente não consegue diferenciar as experiências que acontecem na realidade física das experiências que ocorrem na realidade imaginária e que ela também não consegue distinguir passado, presente ou futuro.

Dessa maneira, as mesmas reações emocionais disparadas por estímulos decorrentes dos eventos que acontecem na realidade material, no mundo a sua volta, tal como você o percebe com seus sentidos físicos, também são engatilhadas pelos eventos que acontecem na intimidade da sua maravilhosa imaginação.

Isso quer dizer que quando você pensa e visualiza as cenas das experiências negativas que você teve no passado, seu corpo reage emocionalmente como se a experiência estivesse acontecendo no agora da realidade

NEUROCIÊNCIAS

material; quando você pensa e visualiza as cenas das experiências positivas que você deseja ter no futuro, seu corpo reage emocionalmente como se a experiência estivesse acontecendo agora!

A Visualização Holográfica é uma ferramenta tão essencial e incrivelmente poderosa na reprogramação de crenças, mudança de hábitos e cocriação de sonhos, que eu tenho um treinamento todo focado em ensinar meus alunos a visualizarem, que é o Neurobótica Visualização Consciente®.

Claro, a visualização também é ensinada no Holo Cocriação de Sonhos e Metas® e é um dos principais recursos do entrelaçamento quântico de ferramentas de cocriação que compõe a Técnica Hertz®. Na prática da técnica, você tem a oportunidade de desprogramar, reprogramar e programar conscientemente a sua mente inconsciente, pois os comandos conduzem naturalmente a visualizar as imagens da mudança, as quais se comunicam de maneira direta com o inconsciente.

Durante a prática da Técnica Hertz®, você está em conexão com a visualização da mudança que você deseja e do sonho que você está cocriando, e se for capaz de SENTIR as emoções elevadas correspondentes, a sua mente inconsciente vai registrar a experiência como uma memória. Na medida em que você repete a experiência durante os três ciclos de vinte e um dias da técnica, fortalece os circuitos neurais referentes às suas novas memórias e, simultaneamente, também desativa os circuitos neurais referentes às suas velhas memórias, viabilizando a desprogramação e reprogramação das suas crenças.

Como expliquei antes, a sua realidade é criada de dentro para fora, de modo que quando você reconfigura sua mente e sua estrutura neurológica, inevitavelmente a mudança se expressará em sua realidade externa. É por isso que digo que a Técnica Hertz® é a ferramenta mais incrível do mundo, ela é o GPS que vai fazer você sair do seu passado de escassez, fracasso e vitimização para chegar ao futuro de abundância e sucesso que deseja.

E não é só isso, muito além dos efeitos neuroplásticos fundamentados pelas Neurociências, ao praticar a Técnica Hertz®, é possível reprogramar sua mente inconsciente através das imagens e emoções, se conectar com sua Centelha Divina e entrar na sintonia da Matriz Holográfica®.

Uma mente inconsciente livre de crenças limitantes é como uma ponte que se conecta diretamente com a Mente Cósmica. Todas as informações não verbais que são recebidas pela mente inconsciente através de imagens, emoções e sensações são direcionadas para a Mente Superior, que compreende os seus desejos a partir da sua Frequência Vibracional®, de modo que você entra em ressonância com o Universo e provoca o colapso da função de onda que vai manifestar na sua realidade física o equivalente material da frequência de você emitiu – você se torna o cocriador da sua realidade nesse momento!

> **EXERCÍCIO**
>
> **ENSAIO HOLOGRÁFICO – ENGENHARIA DOS SONHOS**
>
> A ferramenta da Visualização Holográfica pressupõe que você faça muito mais que apenas visualizar seu sonho como um mero espectador, mas que você literalmente ensaie viver a realidade dos seus sonhos em primeira pessoa, como protagonista do filme da sua vida perfeita, usando as informações não só da sua visão, e sim de todos os seus sentidos físicos, de modo a tornar sua experiência imaginária o mais emocionalmente impactante possível.
>
> Vou ensinar como fazer:
>
> - Qual é o seu sonho?
> - Qual é a aparência do seu sonho?
> - Qual é a textura do seu sonho?
> - Qual é o cheiro do seu sonho?
> - Qual é o som do seu sonho?
> - Qual é o sabor do seu sonho?
> - Quais são os seus sentimentos?
> - Como você se comportaria, quais são os movimentos, gestos e tarefas que você executaria se seu sonho já fosse real agora?
> - Quem está com você na cena do seu sonho realizado?
> - O que essa pessoa diz para você?
>
> Junte todas essas informações em um "pacote" só, reserve um momento tranquilo em um local silencioso, seguro e agradável, e faça sua prática de Ensaio Holográfico, use sua imaginação para experimentar seu sonho realizado, adicionando todas as informações acima! Divirta-se!

Capítulo 4
Leis universais

O quarto fundamento da Holo Cocriação® são as Leis Universais, também chamadas de Leis Cósmicas. Essas leis não foram criadas pelo homem ou formuladas arbitrariamente, foram descobertas, intuídas ou, talvez, canalizadas pelos mestres das mais diversas escolas esotéricas e ocultistas desde tempos remotos, em especial a partir da Filosofia Hermética, desenvolvida no Egito antigo por Hermes Trismegisto.

Apesar do conhecimento dessas leis permear toda a história da humanidade, até pouco tempo elas eram reservadas aos domínios da metafísica. Contudo, gradualmente, ainda que sob outras nomenclaturas e percepções, elas vêm sendo comprovadas cientificamente e subjazem muitos conceitos trabalhados na Física Quântica, nas Neurociências, na Epigenética e em outras ciências contemporâneas.

A Leis Universais descrevem o processo de criação e o funcionamento harmônico do Universo, governam o comportamento e atividade de todos os seres e entidades de todos os planos da existência, de uma humilde ameba à mais longínqua galáxia. Se essas leis regem tudo o que existe no Universo, e você faz parte dele, então, quer você tenha conhecimento ou não, elas também governam a sua vida, o modo como você interage com a realidade e, logicamente, seus processos de cocriação de sonhos.

Certamente, a mais popular das Leis Universais é famosa Lei da Atração, mas existem inúmeras outras. Aqui, eu vou lhe apresentar doze delas, relacionando-as com a Holo Cocriação e explicando o que você pode fazer para se alinhar com cada uma, elevar seu nível de consciência e, assim, potencializar a cocriação dos seus sonhos em harmonia com o Criador, com o Universo.

É importante ressaltar que nem todas as Leis Universais podem ser "usadas" ativamente, como a Lei da Atração, mas só o fato de estar ciente da existência delas já o fará capaz de compreender melhor a situação em que se encontra e o que deve fazer para promover mudanças, caso seja seu desejo.

Ao estudar as Leis Universais, sugiro que você não se empenhe em ser muito analítico – entenda os conceitos, mas mantenha-os em segundo plano, pois mais importante que entender é sentir e experienciar. Você não está aprendendo sobre essas leis pela primeira vez, essa leitura vai lhe proporcionar na verdade um reencontro, um reconhecimento das verdades essenciais inerentes à sua consciência eterna.

1. Lei da Unidade Divina

A primeira e mais fundamental Lei do Universo é a Lei da Unidade Divina, ela evidencia a interconexão de todas as coisas que existem para além da percepção dos nossos sentidos físicos. Esta lei afirma que estamos todos conectados através da Mente do Criador e da criação, de modo que cada átomo dentro de você está conectado de alguma maneira com todos os outros átomos do Universo.

Isso significa que tudo o que fazemos tem um efeito cascata, conhecido por "efeito borboleta", que impacta não apenas nós mesmos, mas o coletivo. Todos os pensamentos, sentimentos e comportamentos de todos os seres estão interligados e podem afetar qualquer pessoa que os sintonize. Cada palavra que você pronuncia, cada gesto, cada pensamento e cada desejo que você tem afetará o mundo.

Acredita-se que esta Lei seja a Lei Fundamental do Universo, da qual derivam todas as outras. Ela fundamenta conceitos e princípios relevantes como o adágio esotérico "somos todos um", o *inconsciente coletivo* de Jung e o *emaranhamento quântico* da Física Quântica.

Pela Lei da Unidade Divina, compreendemos que a dualidade da separação e a noção de individualidade é uma mera ilusão da matéria, pois em última instância somos todos feitos da mesma Energia Primordial e somos parte de um mesmo imenso campo eletromagnético ou, poeticamente falando, somos todos ondas de um mesmo oceano.

Por estarmos todos interligados, por fazermos parte desse infinito campo eletromagnético UNO, tudo o que você emana volta para você. Quer dizer, tecnicamente, não volta, porque nunca saiu, já que não existe "lá fora"; "volta" é apenas uma maneira de falar para expressar a verdade de que quanto mais você dá, não importa o quê, mais você recebe. Tudo o que você faz pelos outros, faz por você mesmo: quanto mais ajuda os outros, mais ajuda a si mesmo na elevação da sua consciência; quanto mais você prejudica os outros, mais prejudica a si mesmo, atrasando a elevação da sua consciência.

Por estarmos todos interligados, por fazermos parte desse infinito campo eletromagnético UNO, tudo o que você emana volta para você.

Dessa maneira, em uma metáfora, desejar o mal para os outros é como estar dentro de uma piscina e despejar veneno na água achando que vai atingir somente quem está na borda oposta – se você também está na piscina, você vai sofrer as consequências do veneno despejado, mesmo que não seja essa a sua intenção.

LEI DA UNIDADE DIVINA NA HOLO COCRIAÇÃO®

A Lei da Unidade Divina fundamenta nosso poder de cocriadores da realidade, isto é, nosso poder de criar junto com o Criador, já que somos um só. Através dessa lei, compreendemos que todas as potenciais e infinitas possibilidades da Matriz Holográfica estão à nossa disposição, que já somos quem desejamos ser e que já temos o que desejamos, apenas não sabemos ou não vemos ainda. A Lei da Unidade Divina também nos garante a manifestação da realidade de acordo com a Frequência Vibracional® que emitimos.

LEI DA UNIDADE DIVINA NA PRÁTICA

O alinhamento com a Lei da Unidade Divina pode ser usado como uma ferramenta de autoaperfeiçoamento e elevação do nível de consciência. Para tirar o máximo proveito desse Princípio Universal, é recomendável sempre pensar em si mesmo como parte do Universo, lembrando-se de que suas ações importam e fazem a diferença. Para entrar em harmonia com essa lei, é preciso se dedicar para vibrar na aceitação e na compaixão, reconhecendo o Divino no outro, apesar das aparências.

Pergunte-se:

- Como posso mostrar mais compaixão e aceitação para com aqueles que não entendo?
- O que posso fazer para ajudar?
- O que posso fazer para emanar mais amor para o mundo?
- O que o AMOR (ou o Criador) faria nesta situação em que eu me encontro?

Jean-Pierre Garnier Malet, o físico francês indicado ao prêmio Nobel por sua Teoria do Desdobramento do Tempo, demonstrando uma perfeita compreensão da Lei da Unidade Divina, oferece uma orientação simples, porém profunda e impactante: ele sugere que você, todas as noites, quando estiver prestes a adormecer, diga: "Meu Duplo Quântico, por favor, cancele os futuros ruins que eu criei hoje com meus pensamentos negativos e não permita que nem eu e nem ninguém os atualize".

LEIS UNIVERSAIS

> OBS.: os ensinamentos de Jean-Pierre Garnier Malet, profissional com quem fiz um treinamento, são a base do meu curso avançado de cocriação da realidade: Meta Cocriação®.
>
> **BINGO DA ELAINNE**
>
> Eu me alinhei com a Lei da Unidade Divina quando entendi que todo o mal que eu cheguei a desejar para meu ex na época em que eu me sentia uma vítima abandonada estava voltando para mim e reforçando a realidade de escassez em que eu me encontrava. Imediatamente corrigi!

2. Lei da Vibração

A Lei da Vibração, também denominada de Lei da Ressonância, evidencia que tudo no Universo tem uma frequência e uma vibração e que, em um nível microscópico, tudo está em constante movimento, vibrando em uma frequência específica.

A Lei da Vibração se aplica à matéria, mesmo aos objetos que aparentam solidez e rigidez, coincidindo com as leis da física que apontam que as partículas em todos os estados da matéria estão em constante movimento, e também se aplica à frequência pessoal de cada um: nossos pensamentos, emoções, sentimentos e palavras também são feitos de energia e, portanto, possuem uma vibração.

Na realidade tridimensional em que nos encontramos, nós conceituamos e rotulamos as coisas como boas ou ruins, mas na quinta dimensão, na dimensão além dos sentidos, na dimensão da Matriz Holográfica, não existem coisas, muito menos coisas boas ou coisas ruins — só existem frequências vibracionais, as quais ressoam entre si quando há afinidade e equivalência na vibração emanada.

Quer um exemplo simples? Em uma roda de amigos ou até mesmo em uma fila cheia de pessoas desconhecidas, experimente contar uma história de assalto e você verá que todos também terão algo semelhante para contar. Isso que na terceira dimensão nós chamamos de "bater um papo" ou "trocar uma ideia", na quinta dimensão se chama ressonância vibracional.

Vibrações de baixa frequência ressoam com outras de mesma natureza. Felizmente, como o Universo é imparcial, vibrações de alta frequência, do mesmo modo, ressoam com outras também positivas. Em outras palavras, a Lei da Vibração fundamenta a cocriação da realidade, inclusive eu até prefiro me referir a ela do que me referir à Lei da Atração.

A Lei da Vibração, conhecida há milênios pelos iniciados nas filosofias ocultistas, é confirmada cientificamente pela Física Quântica com a comprovação de que, no nível subatômico, não existe matéria sólida; tudo se resume a um infinito campo eletromagnético de pura energia que os cientistas chamam de Vácuo Quântico, mas que fora dos laboratórios pode ser chamado de Deus.

O desconhecimento da Lei da Vibração é a razão pela qual muitas pessoas, ingênuas, afirmam que a Lei da Atração não funciona para elas. Afinal, se você não sabe que é sua vibração que determina o que você vai "atrair", ou melhor dizendo, cocriar na sua vida, se você não emitir conscientemente a vibração correspondente ao que você deseja, decerto, a Lei da Atração vai parecer não funcionar.

Como dizem os adolescentes, "só que não"! Não existe exceção às Leis, elas estão sempre em operação, desde o início da criação, e não existe a menor possibilidade de você ser uma exceção no Universo. A questão é que a Lei da Atração não funciona conforme seus pensamentos, mas em conexão com a Lei da Vibração, de maneira que sua realidade se manifesta conforme a vibração que você emite e jamais conforme seus pensamentos racionais. Entretanto, para o nosso ego, é muito mais conveniente ter a "cara de pau" de dizer que a Lei não funciona do que ter a coragem de olhar para dentro de si e perceber qual é a vibração que está sendo emanada.

O que o documentário e o livro O segredo não ensinaram é que para a Lei da Atração "funcionar" (por funcionar, entenda-se agir a seu favor), é necessário que a pessoa conheça a Lei da Vibração e entenda que "atrair" alguma coisa pressupõe a emanação prévia da vibração correspondente. Em uma frase: **você precisa ser a fonte daquilo que deseja receber!**

LEI DA VIBRAÇÃO NA HOLO COCRIAÇÃO®

Ciente da operação inevitável da Lei da Vibração no seu processo de Holo Cocriação®, você tem o poder de escolher a vibração que deseja emitir para o Universo. Você sabe que para cocriar seu sonho, precisa emanar previamente a frequência que combine com ele e, sabendo disso, torna-se capaz de produzir

LEIS UNIVERSAIS

na sua realidade fenômenos que são considerados como "milagres" pelo homem comum! Em harmonia com a Lei da Vibração, você entende que não existe tal coisa como "destino" ou "sorte", mas que o Universo opera com lógica e precisão matemática, em um movimento circular ininterrupto através do qual sempre recebe o correspondente material e psicológico da vibração que emana.

LEI DA VIBRAÇÃO NA PRÁTICA

Você tem consciência da vibração que está emanando para o Universo agora, neste momento? E da vibração que você emanou na última semana, no último mês, no último ano? A consciência da própria vibração demanda a prática da auto-observação.

Com honestidade, responda para si mesmo(a): ultimamente, o que você tem pensado, sentido e falado sobre:

- Si mesmo(a)?
- Seu pais, seus sogros e sua família em geral?
- Seu chefe, colegas, clientes e parceiros profissionais?
- As postagens que você vê nas suas redes sociais?
- Seus vizinhos?
- Estranhos na rua?
- O prefeito, o governador, o presidente e demais políticos?
- As pessoas que você acha que o agridem?
- Covid-19, guerra da Rússia contra a Ucrânia, crise econômica?

Sua resposta indica a sua vibração predominante! Agora, responda:

- A vibração que você está emitindo através de seus pensamentos, sentimentos e palavras é a vibração de quem pretende estar na posição de receber saúde, amor, prosperidade, alegria e sucesso?
- Se sim, sustente e expanda! Se não, mude!

BINGO DA ELAINNE

Eu me alinhei com a Lei da Vibração quando entendi que cada vez em que abria minha geladeira vazia, reclamava e sentia tristeza e escassez pela falta de comida, eu estava sustentando a realidade de privações em que me encontrava. Corrigi imediatamente, manifestando toda a minha gratidão e percepção de abundância por ter não só uma geladeira, mas também pratos, talheres, panelas e todos os utensílios de cozinha que eu já tinha!

3. Lei da Correspondência

A Lei da Correspondência expressa o axioma "o que está em cima é como o que está embaixo e o que está dentro é como o que está fora", evidenciando uma correspondência exata e uma perfeita simetria entre os planos da existência – material, mental e espiritual.

A premissa por trás da Lei da Correspondência é que nossas vidas são criadas pelos padrões inconscientes que repetimos todos os dias, os quais nos possibilitam ou nos impedem de concretizar nossos projetos e realizar nossos sonhos. Em outras palavras, a Lei da Correspondência confirma o recente conhecimento das Neurociências de que nossos padrões de pensamentos, isto é, nossas crenças, interferem na nossa realidade física.

Conforme a Lei da Correspondência, sua realidade externa é o correspondente material da sua realidade interna mental e emocional, ou seja, seus pensamentos e sentimentos. De modo que, se na sua realidade externa você está vivenciando eventos desagradáveis, isso não significa que é uma pobre vítima de um destino cruel, mas que você internamente, ainda que não tenha consciência, está cultivando pensamentos e sentimentos de baixa vibração.

Alinhando a Lei da Correspondência com as pesquisas do dr. Hawkins, sua realidade externa é uma mera projeção do seu próprio nível de consciência. A sua Frequência Vibracional® é o combustível de operação da Lei da Correspondência, determinando simetricamente os encontros, lugares, objetos, situações ou circunstâncias que se apresentam na sua realidade.

O curioso é que até uma aparentemente inofensiva mesa de trabalho desorganizada ou um guarda-roupas bagunçado não escapa à Lei da Correspondência e reflete um indício de confusão mental ou emocional de seus proprietários.

> **LEI DA CORRESPONDÊNCIA NA HOLO COCRIAÇÃO®**
>
> A Lei da Correspondência, em alinhamento com a Lei da Vibração que vimos antes, explica também por que às vezes você acha que não consegue cocriar ou que está "cocriando ao contrário": é impossível manifestar na realidade externa algo diferente ou que não exista previamente e nem esteja vibrando na realidade interna. Isso confirma ainda o adágio fundamental da cocriação "ser para ter", uma vez que no momento em que você

consegue *ser* internamente abundante, próspero(a) e contente, por correspondência você terá em sua realidade externa os equivalentes materiais do seu estado de ser.

LEI DA CORRESPONDÊNCIA NA PRÁTICA

Você ativa a Lei da Correspondência todas as vezes em que cria na sua imaginação o cenário perfeito do seu sonho realizado e assume o sentimento de que ele já é real. A melhor maneira de colocar a Lei da Correspondência a serviço das suas cocriações é pela prática da *Visualização Holográfica*, a qual lhe permite experimentar antecipadamente todas as emoções e sensações do seu novo eu e da sua vida perfeita. E se você pratica com disciplina, sustentando em seu interior a vibração cujo equivalente material deseja manifestar, por correspondência, inevitavelmente, assim será!

BINGO DA ELAINNE

Eu me alinho com a Lei da Correspondência colocando-a em ação a meu favor todas as vezes em que eu me permito "viajar" no incrível mundo de Nani, meu mundo imaginário perfeito. Já perdi as contas de quantas cenas vividas no plano mental da minha imaginação através da Visualização Holográfica eu já experimentei com os sentidos físicos em minha realidade externa graças ao poder desta lei!

4. Lei da Atração

Sem dúvida a Lei da Atração é a mais popular de todas, apesar de nem todo mundo entender que se trata de uma Lei Universal, e muita gente pensar que é uma mera técnica de autoajuda que funciona para uns, mas que não funciona para todos. Justamente por ser a mais conhecida, é também a mais mal-interpretada.

A Lei da Atração é um desdobramento da Lei da Vibração, ela é essencialmente a Lei da Vibração em ação. Contudo, ela deve ser compreendida no contexto geral em que é conectada e interdependente das outras leis, ou seja, que ela não opera exatamente de acordo com o conhecimento popular de que criamos nossa realidade de acordo com nossos pensamentos, ou ainda, que basta pensar e todos os sonhos se realizarão. Com o perdão do trocadilho, é pensando que "basta pensar" que muita gente se frustra e acusa a Lei da Atração de não funcionar.

Vamos esclarecer tudo isso agora! Conforme a Lei da Atração, semelhante atrai semelhante, de modo que sua realidade espelha seu próprio nível de consciência, e você está cercado pelo resultado das decisões que tomou no passado.

Contudo, você é totalmente capaz de tomar outras decisões no presente para atrair um conjunto diferente de circunstâncias no futuro. A qualquer momento, você pode mudar sua perspectiva e mentalidade e, ao fazê-lo, vai mudar sua vibração para começar a atrair pessoas e coisas em uma frequência positiva semelhante.

De acordo com a Lei da Atração, nossos pensamentos, sentimentos, palavras e ações emanam uma vibração que, como você já sabe, consiste na nossa Frequência Vibracional®, a vibração que emanamos para o Universo a partir de nosso campo eletromagnético. Nossa vibração entra em ressonância com a vibração de energias semelhantes, que se manifestam na forma de encontros, eventos, situações e circunstâncias.

LEI DA ATRAÇÃO NA HOLO COCRIAÇÃO®

Na Holo Cocriação® de sonhos, se você não só entender racionalmente, mas incorporar o conhecimento de que semelhante atrai semelhante, você se torna o mestre do seu próprio destino e é capaz de cocriar tudo o que desejar. Em outras palavras, se você deseja amor, como semelhante atrai semelhante, você precisa ser, sentir, pensar, falar e agir na vibração do amor; se você deseja riqueza, como semelhante atrai semelhante, você precisa ser, sentir, pensar, falar e agir na vibração da riqueza; com a saúde, a mesma coisa, e com tudo mais que você quiser cocriar também.

LEI DA ATRAÇÃO NA PRÁTICA

Na prática, a Lei da Atração e seu princípio de que *semelhante atrai semelhante*, além de poderem ser direcionados para a cocriação dos seus sonhos, também funcionam como uma ferramenta de autoconhecimento, é só fazer o caminho inverso: quando você quer cocriar, sabe que deve emitir frequência semelhante à do seu sonho; e quando deseja "descocriar" uma realidade, situação ou circunstância desagradável, você pode se perguntar: *O que em mim é o "semelhante" que atraiu essa situação?*

Você pode se fazer essa pergunta diante de qualquer situação e sua resposta vai indicar o que você precisa modificar ou curar em você (na sua vibração) para não atrair mais tal coisa, pessoa ou evento.

5. Lei da Ação Inspirada

A Lei da Ação Inspirada é a catalisadora da Lei da Atração, pois ela evidencia a necessidade lógica da AÇÃO para a realização dos nossos objetivos. Enquanto as Leis da Atração, da Vibração e outras pressupõem que você determine sua intenção e se alinhe energeticamente com seu sonho, a Lei da Ação Inspirada lhe convida a agir fisicamente para que de fato se manifeste na matéria.

Com certeza, você deve vivenciar seus sonhos na sua imaginação através das visualizações, mas você também precisa dar passos físicos para se aproximar do seu sonho, o que significa, muitas vezes, sair da sua zona de conforto e fazer coisas diferentes, como acordar cedo e trabalhar!

Sem estar em harmonia com a Lei da Ação, a Lei da Atração realmente não vai funcionar. É nesse "pequeno" detalhe que muita gente empaca e acusa o Universo de falhar na realização de seus objetivos, pois não compreende que o Universo não é o Papai Noel, quer dizer, você tem de fazer o trabalho energético de elevar sua Frequência Vibracional®, mas também tem de "por a mão na massa" e fazer o trabalho físico necessário para seu sonho se realizar.

Elizabeth Gilbert, autora do best-seller *Comer, rezar, amar*, ilustra a necessidade da ação para a realização dos desejos contando uma história hipotética de um homem que rezava aos pés da estátua de um santo pedindo "por favor, me faça ganhar na loteria". Depois de décadas, a estátua "se irritou", ganhou vida e disse para o homem: "eu posso ajudá-lo, mas faça o favor de comprar um bilhete".

Essa história é uma caricatura, mas a mensagem é que, com pensamentos e emoções positivas, você sintoniza o potencial desejado na Matriz Holográfica e o Universo orquestrará as circunstâncias certas, porém, você precisa agir para atingir seus objetivos. Por exemplo, se você quer trabalhar em uma determinada empresa e realmente acredita que pode chegar lá, a Lei da Atração ajudará a criar as circunstâncias perfeitas para isso; porém, você precisará se candidatar ao emprego e se preparar para ser aprovado na seleção.

LEI DA AÇÃO INSPIRADA NA HOLO COCRIAÇÃO®

A Lei da Ação é de compreensão simples e lógica: para manifestar no plano da matéria o correspondente físico do seu desejo criado no plano mental, isto é, para cocriar o seu sonho, além de se dedicar em elevar sua Frequência Vibracional®, você precisa alinhar suas ações. Quer dizer, a Holo Cocriação® não é mágica, ela pressupõe que você aja em congruência com o que deseja, isto é, você precisa fazer a sua parte, afinal é cocriador, você cria junto com o Criador e, portanto, não pode ficar esperando que o Criador lhe entregue o que você quer sem que participe ativamente do processo de manifestação.

LEI DA AÇÃO INSPIRADA NA PRÁTICA

Uma das melhores maneiras de colocar a Lei da Ação Inspirada na prática é estabelecer metas! Elas funcionam como um guia para você direcionar sua ação e são especialmente importantes no caso de grandes sonhos. Se o processo for muito complexo e demandar muito tempo, o ideal é que você divida sua grande meta em etapas, para facilitar o foco e a realização. Por exemplo, se você deseja emagrecer 50 quilos em dois anos, pode parecer, em princípio, algo muito grandioso ou até mesmo inalcançável, mas se você fracionar sua meta em pequenos passos mensais, seu compromisso será agir para emagrecer pouco mais de 2 quilos por mês, o que parece mais razoável e perfeitamente possível.

BINGO DA ELAINNE

Na época em que eu atendia terapia individual, meus clientes tinham resultados impressionantes com a aplicação das ferramentas e conhecimentos que eu lhes ensinava, enquanto eu continuava na luta para sobreviver. Alinhei-me com a Lei da Ação Inspirada quando percebi que não bastava saber, eu tinha de levar meu conhecimento para a experiência e precisava agir como meus clientes agiam, sem questionar nem duvidar da metodologia.

6. Lei da Transmutação Perpétua de Energia

Lembra-se das aulas de Química que você teve no colégio? Bem, se você não for da área, provavelmente já esqueceu de tudo, mas talvez se lembre de uma única coisa, a célebre frase de Lavoisier: "na natureza nada se cria, nada se perde, tudo se transforma".[7] Ele estava certíssimo e ainda poderia ter ido além e trocado "natureza" por "Universo".

É justamente este o sentido da Lei da Transmutação Perpétua de Energia: de acordo com as Leis do Universo, a energia não pode ser criada ou destruída; ela apenas muda de forma, transitando entre as polaridades, como vou lhe explicar mais adiante na Lei da Polaridade.

De acordo com a Lei da Transmutação Perpétua de Energia, a energia existente no Universo é infinita, ilimitada, inesgotável e está em constante movimento, fluindo entre os planos da existência. Assim, o que faz uma ideia transitar do plano mental para o plano da matéria é justamente esse constante movimento da energia, o qual pode ser direcionado por nossas intenções e responde à vibração que emanamos.

A Lei da Transmutação Perpétua de Energia evidencia que tudo é mutável e, portanto, vibrações negativas podem ser transmutadas em vibrações positivas, e situações caóticas, devastadoras e miseráveis podem ser transmutadas em uma realidade de harmonia, paz e abundância.

Em outras palavras, essa lei fundamental garante que qualquer mudança que você deseje seja perfeitamente possível de se realizar. Além disso, a Lei da Transmutação Perpétua de Energia também reforça a noção de que somos 100% responsáveis por nossos destinos e nossas vidas, de modo que não precisamos de nada nem de ninguém para realizarmos nossos sonhos, uma vez que podemos usar nossas próprias consciências para promover a transmutação energética necessária para entrarmos em ressonância com a vibração daquilo que desejamos materializar.

Isso é realmente incrível, temos o poder de moldar a energia do Universo a partir da energia de nossos próprios pensamentos, sentimentos e ações. As frequências mais altas transmutam as mais baixas, quando aplicadas com intenção – essa é a verdadeira Alquimia do Universo, você tem dentro de si a capacidade de mudar suas circunstâncias, independentemente da situação atual em que se encontra.

---

[7] LAVOISIER, A. "Na natureza nada se cria, nada se perde...". **Pensador**, 2005-2022. Disponível em: https://www.pensador.com/frase/MzAyODA4/. Acesso em: 25 maio 2022.

Temos o poder de moldar a energia do Universo a partir da energia de nossos próprios pensamentos, sentimentos e ações.

LEIS UNIVERSAIS

LEI DA TRANSMUTAÇÃO PERPÉTUA DE ENERGIA NA HOLO COCRIAÇÃO®

A Lei da Transmutação Perpétua de Energia fundamenta a possibilidade de transmutar em matéria a energia movimentada por nossas intenções, pensamentos e, sobretudo, nossas emoções e sentimentos, fenômeno confirmado cientificamente pela Física Quântica através do Experimento da Dupla Fenda, que evidenciou o poder da consciência humana em determinar o colapso da função de onda (sim, tudo está conectado!). Portanto, essa lei garante que a energia gerada no plano mental pode ser transferida para o plano material para cocriar os seus mais lindos sonhos e, sabendo disso, você entende que, não importa quais sejam as circunstâncias atuais da sua vida, tudo pode mudar se for capaz de transmutar suas vibrações negativas em positivas.

LEI DA TRANSMUTAÇÃO PERPÉTUA DE ENERGIA NA PRÁTICA

Para colocar a Lei em ação em um nível prático, entenda que pequenas mudanças ao longo do tempo são capazes de gerar grandes resultados, portanto, sempre que você perceber que está vibrando em baixas frequências, aja para transmutar essa energia. Você pode fazer coisas simples, como assistir a vídeos divertidos ou inspiradores, assistir a uma comédia, expressar sua gratidão percebendo a abundância a sua volta, cantar no chuveiro, dançar, brincar, fazer algum trabalho manual, enfim, qualquer coisa para se divertir e sair do baixo astral. Nesse processo, o riso, ou melhor ainda, a gargalhada, é um verdadeiro elixir transmutador de energias negativas em positivas.

Obviamente, você também pode praticar a Técnica Hertz®. Lembra que eu já falei que não existe maneira errada de usar a Técnica? Pois bem, estando ou não estando na sequência dos três ciclos, você pode praticar a Técnica Hertz®, completa ou apenas os três primeiros comandos, sempre que você sentir a necessidade de transmutar sua energia em alguma situação pontual.

BINGO DA ELAINNE

Quando eu estava extremamente deprimida e cogitando tirar minha própria vida, todas as vezes em que olhava as mensagens de agradecimento dos meus clientes, todas as vezes em que assistia aos "vídeos mais engraçados da internet" com meus filhos e todas as vezes em que assistia a vídeos das maiores e mais luxuosas mansões do mundo, eu conseguia transmutar meu estado de ser depressivo em um pouco de alegria. Eu ainda não tinha consciência, mas estava me alinhando com a Lei da Transmutação Perpétua de Energia.

7. Lei da Causa e Efeito

A Lei da Causa e Efeito ou Lei da Causalidade, também conhecida como Lei do Karma ou Lei da Semeadura e da Colheita, evidencia que nada no Universo é aleatório ou acontece por acaso, que para todo efeito existe uma causa, ainda que não sejamos capazes de perceber ou identificar.

Esta Lei é cientificamente comprovada através da terceira lei de Newton, que diz que para toda ação existe uma reação em sentido oposto e de igual intensidade. Contudo, enquanto para os objetos físicos os efeitos são imediatos, no Universo, alguns resultados nem sempre são instantâneos e podem levar algum tempo para se apresentarem.

A Lei da Causa e Efeito reforça a compreensão de que não existem vítimas e algozes no Universo, pois todos colhem o que plantam, ainda que não tenham consciência daquilo que foi semeado. Assim, a Lei também evidencia a autorresponsabilidade e nos confere um alto grau de autonomia e empoderamento, uma vez que quem não estiver satisfeito com sua realidade vigente sempre terá pleno poder de alterá-la, plantando sementes diferentes, para obter efeitos ou resultados diferentes, de acordo com seus interesses.

Portanto, a Lei da Causalidade está diretamente relacionada com o conceito de livre-arbítrio, uma vez que todos nós temos liberdade para escolher o que vamos semear através da escolha consciente de nossos pensamentos, sentimentos, palavras e comportamentos. Em outras palavras, essa lei é a própria essência da liberdade e do poder que o Criador nos deu para cocriar junto com Ele; fundamenta sua escolha entre ser vítima da realidade ou seu cocriador da realidade.

LEI DA CAUSA E EFEITO NA HOLO COCRIAÇÃO®

Na Holo Cocriação® da Realidade, a Lei da Causa e Efeito consiste em uma metodologia garantida para o sucesso em qualquer área da vida, pois quando você está consciente da sua própria Frequência Vibracional® e se dedica a sustentar a emissão da frequência correspondente à realização dos seus sonhos, ou seja, quando você produz uma causa, certamente o efeito se manifestará. A Lei da Causalidade lhe garante o poder de interromper efeitos indesejados atuando diretamente na modificação das causas desses efeitos.

LEIS UNIVERSAIS

LEI DA CAUSA E EFEITO NA PRÁTICA

Tudo o que você está vivenciando agora é a materialização de um efeito produzido por uma causa anterior; sua realidade externa, seu estado de ser e sua saúde são efeitos causados por sua própria Frequência Vibracional®. Portanto, se não está satisfeito com seus efeitos atuais, você precisa examinar o que deve ser corrigido na vibração que está emitindo e pode usar a fabulosa Técnica Hertz® para reprogramá-la, isto é, reprogramar as causas a fim de obter os efeitos que deseja.

Para potencializar seu alinhamento com a Lei da Causalidade, uma conduta simples, porém poderosa que você pode adotar é agir conforme a regra de ouro que diz "não faça com os outros aquilo que você não gostaria que fizessem com você", a qual foi aperfeiçoada por Jean-Pierre Garnier Malet através do enunciado "não pense dos outros aquilo que você não gostaria que pensassem de você", uma vez que não basta a disciplina de nossas ações, também é necessário disciplinar nossos julgamentos, posto que pensamentos são feitos de energia e, portanto, são capazes de afetar outras pessoas e a nós mesmos.

8. Lei da Compensação

A Lei da Compensação, também chamada de Lei do Retorno, é um desdobramento da Lei da Causa e Efeito e está intimamente ligada às Leis da Vibração e da Correspondência. Enquanto a Lei da Causalidade trata de todos os tipos de causas e efeitos, negativos e positivos, a Lei da Compensação foca em evidenciar os efeitos positivos que decorrem de nossa dedicação consciente em sustentar uma Frequência Vibracional® elevada e agir pautados no amor, na compaixão e na generosidade.

Além disso, enquanto a Lei da Causa e Efeito garante que seus pensamentos, sentimentos e ações retornem a você, a Lei da Compensação garante a quantidade e a qualidade desses retornos, de modo que todo amor, prosperidade, abundância e, inclusive, dinheiro que você recebe é sempre proporcional ao que você dá, ao que você oferece ao mundo.

Sabe o ditado popular "é dando que se recebe"? Ele é a mais pura expressão da Lei da Compensação. O problema é que tem muita gente que, inconscientemente, quer inverter a ordem e receber antes de dar, motivo de grande frustração. No Universo, não existe cocriação "fiada"! Por exemplo, você não pode pensar e prometer a Deus que quando ficar rico, ajudará aos pobres com grandes quantias de dinheiro; você precisa ajudar agora, do jeito que for possível. Se você não tem grandes quantias para oferecer no momento, então dê amor, atenção, compaixão, oração etc.

Joe Vitale, autor best-seller norte-americano, um de meus mais importantes treinadores e com quem fiz vários cursos, sabiamente ensina que quando você dá, abre a porta interna para receber, e a amplitude da abertura dessa porta pela qual você recebe as recompensas é diretamente proporcional ao tamanho da abertura pela qual você dá, de modo que se você abriu só um pouquinho, isto é, se dá só o seu mínimo, então receberá pequenas recompensas, mas se escancara essa porta, receberá recompensas infinitas.

Claro, especificamente para emanar uma vibração de abundância de dinheiro, convém que você doe dinheiro, afinal todas as vezes que você diz "não tenho" quando um mendigo lhe pede uma moeda, você está afirmando escassez. Contudo, é importante frisar que a Lei da Compensação não se trata somente de compensações financeiras, mas, sobretudo, da compensação que você recebe por todo amor, alegria, compaixão, generosidade, bondade, prestatividade, honestidade e tudo mais de bom e de belo que você é capaz de compartilhar e espalhar por aí. Tudo é recompensado de maneiras únicas e personalizadas na manifestação daquilo que você deseja, seja algo material ou não.

Outra ressalva importante é que todo tipo de doação não pode ser feita de maneira interessada, como uma tentativa de manipular o Universo, baseando-se em um cálculo racional pelo qual alguém deve pensar: *"vou contribuir com esta ONG, vou fazer um trabalho voluntário, vou dar esmolas no sinal, vou ser mais gentil com as pessoas etc. para que, assim, o Universo me recompense"*.

A doação pressupõe que a sua vibração seja a mais autêntica generosidade e bondade. O Universo lê sua vibração, seus sentimentos, lembra? Então, não tem como você esconder suas segundas intenções por trás de suas boas ações. As recompensas decorrem de seu nível de consciência, não dos seus processos intelectuais de cálculo a respeito de prestações e contraprestações.

LEI DA COMPENSAÇÃO NA HOLO COCRIAÇÃO®

A Lei da Compensação garante que sua dedicação em praticar a auto-observação e buscar elevar seu nível de consciência e sua Frequência Vibracional® não serão em vão, pois você receberá o retorno do seu comprometimento em ser uma pessoa melhor para o mundo na forma da cocriação de um mundo melhor para você.

LEI DA COMPENSAÇÃO NA PRÁTICA

Para cocriar seus sonhos em alinhamento com a Lei da Compensação, pergunte-se, responda e aja:

Como posso servir e apoiar os outros hoje? Como eu posso me adiantar para contribuir com a sociedade antes do meu sonho se materializar?

Outro aspecto importante é que a realização de seu sonho, além de beneficiar a você mesmo(a), precisa ter um propósito maior que também beneficie a toda a coletividade. Portanto, pergunte-se e responda:

Como a realização do meu sonho pode contribuir para melhorar o mundo?

Por exemplo, se seu sonho é expandir sua empresa e aumentar seu faturamento, pense e inclua nas suas visualizações todos os empregos que você vai gerar com o crescimento. Até mesmo nos sonhos aparentemente mais egoístas, você deve buscar quais são os benefícios para a sociedade que decorrem da realização deles: se você sonha em comprar um carrão importado, lembre-se de focar no quanto a venda de carros importados beneficia a economia mundial e também todos os envolvidos, dos operários que fabricam cada peça aos vendedores das concessionárias.

Quando você expande sua visão para além da sua realização pessoal e enxerga os benefícios que afetarão a sociedade, você se alinha com a Lei da Recompensa, porque entende que o verdadeiro sentido da Holo Cocriação® não é apenas criar um mundo melhor para você, mas principalmente criar um você melhor para o mundo, contribuindo com a elevação da consciência de toda a humanidade.

BINGO DA ELAINNE

Eu já contei em algumas ocasiões que meu objetivo inicial ao estudar e praticar técnicas de cocriação era puramente egoísta — eu apenas queria sair da situação de escassez em que me encontrava e poder proporcionar uma vida melhor e mais confortável para mim e para meus filhos. Contudo, logo entendi que todo o conhecimento que estava acessando e tudo o que estava conquistando tinham o propósito maior de servir à humanidade e transformar não só a minha vida, mas a de milhares de pessoas. Foi assim que me alinhei com a Lei da Recompensa ao reconhecer minha responsabilidade em servir à sociedade, dediquei-me mais ainda em abrir as portas pelas quais eu podia oferecer meu conhecimento e meu amor e, então, as portas pelas quais eu recebo as recompensas também se alargaram.

9. Lei da Relatividade

De acordo com a Lei da Relatividade, tudo que existe no Universo é, em essência, NEUTRO, isto é, são nossas percepções e julgamentos que determinam o significado das coisas, classificando como boas ou ruins, positivas ou negativas. Através das comparações que fazemos com nossos julgamentos, pela Lei da Relatividade, podemos nos dar conta de que, independentemente da situação em que nos encontremos, sempre existe uma possibilidade pior e outra melhor.

Por exemplo, você pode pensar que é pobre, que é um fracasso e que vive na escassez quando se compara com alguém muito rico e bem-sucedido, mas certamente não é assim que um mendigo sem-teto o vê. O relativismo existe em todas as coisas e, no final, o significado se resume à nossa perspectiva e percepção.

A Lei da Relatividade evidencia também que toda situação ruim, por mais trágica que seja, tem o seu lado positivo. Por exemplo, se eu não tivesse passado fome, frio e todo tipo de necessidade com meus filhos no passado, talvez não estivesse aqui hoje contando a história da minha transformação e orientando você a cocriar os seus sonhos. Claro, na altura em que tudo aconteceu, não foi nada bom, mas hoje vejo com outros olhos, vejo que os desafios que passei foram o trampolim que me alavancaram para a vida incrível que tenho hoje, e sou extremamente grata por eles.

Essa lei também nos ensina a "abrir os olhos" para colocar as coisas em perspectiva e nos obriga a parar e pensar antes de julgar qualquer outra pessoa, expandindo nossa consciência pela compaixão.

LEIS UNIVERSAIS

Uma ressalva importantíssima é que a Lei da Relatividade se aplica somente às questões materiais, uma vez que no plano espiritual ninguém é superior ou inferior a ninguém, somos todos iguais, como ensina o mestre Eckhart Tolle em seu livro *Um novo mundo*: "Na forma, você é e sempre será inferior a alguns; superior aos outros. Em essência, você não é inferior nem superior a ninguém".

LEI DA RELATIVIDADE NA HOLO COCRIAÇÃO®

O alinhamento com a Lei da Relatividade beneficia duplamente nosso poder de cocriador na medida em que, através da possibilidade de comparação com quem tem menos ou está em uma situação pior que a nossa, ela nos permite vibrar na gratidão por tudo o que temos e perceber a abundância que já existe a nossa volta. Por outro lado, através da comparação com quem tem mais do que nós ou está em uma situação melhor que a nossa, despertamos nosso desejo de evoluir e nos inspiramos para agir. Fazendo comparações, somos abençoados com a possibilidade de trocar nossas reclamações por agradecimentos e, assim, elevar nossa Frequência Vibracional®.

LEI DA RELATIVIDADE NA PRÁTICA

A melhor maneira de trazer a Lei da Relatividade para a sua vida é através da expressão da sua gratidão. Ela é o "fermento" da cocriação. A abundância de gratidão produz abundância de motivos para agradecer. Portanto, diariamente, manifeste sua gratidão em todos os níveis:

- Gratidão pelo que você é;
- Gratidão pelo que você faz;
- Gratidão pelo que você tem;
- Gratidão pelo que você ainda não é, não faz ou não tem como se já fosse, fizesse ou tivesse.

BINGO DA ELAINNE

Teve um momento da minha vida em que precisava viajar todos os finais de semana para ministrar palestras, pois essa era minha principal fonte de renda, era como colocava comida na mesa para meus filhos. Nesse ritmo intenso de viagens, eu me privava da companhia dos meus filhos, deixando-os aos cuidados de terceiros, e muitas vezes eu entrava na vibração da reclamação e do descontentamento. Foi então que, em uma dessas minhas idas e vindas, vi na rodoviária uma moça que puxava um carrinho com o um cilindro de oxigênio, do qual ela dependia para respirar e se manter viva. Naquele momento, me alinhei com a Lei da Relatividade, parei de reclamar das minhas viagens constantes, porque me dei conta de como eu era abençoada e grata pelo simples fato de respirar autonomamente.

10. Lei da Polaridade

A Lei da Polaridade corresponde ao Princípio Hermético de mesmo nome segundo o qual tudo no Universo tem duas extremidades ou dois polos, os quais parecem opostos, mas são idênticos em sua natureza, variando apenas em grau de intensidade. Por exemplo, frio e calor, elementos aparentemente opostos, são as variações de intensidade de uma mesma coisa: a temperatura.

Conforme a Lei da Polaridade, a dualidade que percebemos no mundo é uma ilusão criada pelos nossos sentidos e pelo nosso ego, pois na verdade todos os pares de opostos são uma coisa só, tal como cara e coroa são os dois lados de uma mesma moeda.

Vivenciar o contraste das polaridades como saúde-doença, riqueza-pobreza, alegria-tristeza faz parte da experiência humana e são pressupostos para o aprendizado e expansão da consciência, pois as polaridades nos ajudam a aprender com nossos erros e a identificar o que não queremos para que possamos ter clareza sobre o que queremos.

A Lei da Polaridade evidencia a importância de experimentar os dois lados da moeda para saber apreciá-los plenamente. Por exemplo, as pessoas não teriam ideia do que é a felicidade se não houvesse tristeza no mundo; da mesma maneira, elas seriam incapazes de experimentar o sucesso sem ter vivenciado antes o sentimento de fracasso.

Viver em alinhamento com a Lei da Polaridade demanda aceitar que uma experiência negativa pode ajudar a lhe impulsionar na direção oposta. Se você estiver enfrentando uma situação difícil, como um problema de saúde ou uma separação, tente imaginar como seria o oposto, pois isso lhe dará um novo senso de apreciação pelas coisas que você tem e sinalizará ao Universo o que você deseja.

LEIS UNIVERSAIS

LEI DA POLARIDADE NA HOLO COCRIAÇÃO®

A Lei da Polaridade fundamenta a Holo Cocriação®, porque é a expressão da possibilidade de mudança, de transformação, de cocriação de uma realidade totalmente diferente, o verdadeiro oposto do que você está vivendo agora. É um alinhamento com a Lei da Polaridade, por exemplo, que alguém consegue transitar da extrema pobreza para a extrema riqueza, como o que aconteceu com Joe Vitale, que era morador de rua e se tornou um autor e empresário multimilionário.

Na Holo Cocriação®, a polaridade mais relevante é a mente-matéria, que expressa as variações da densidade da energia. Com o fundamento da Lei da Correspondência, você pode cocriar os seus sonhos fazendo com que a energia sutil da sua imaginação e dos seus sentimentos expresse seu correspondente físico na polaridade da matéria, desde que, claro, estejam presentes as condições correspondentes de alinhamento vibracional.

LEI DA POLARIDADE NA PRÁTICA

Mesmo correndo o risco de você me achar repetitiva e insistente, preciso lhe dizer que a melhor ferramenta para você se alinhar com a Lei da Polaridade e ativá-la a seu favor é, novamente, através da prática da Técnica Hertz®, através da qual você desprograma crenças negativas e programa crenças positivas, transitando de maneira ascendente na Escala das Emoções, isto é, saindo da polaridade das frequências inferiores e acessando a polaridade superior dos níveis de consciência.

BINGO DA ELAINNE

Eu me alinhei com a Lei da Polaridade quando compreendi e aceitei que era meu próprio nível de consciência que estava determinando a realidade de escassez que eu estava experienciando, que eu não era vítima de nada nem de ninguém. Então, como criadora e primeira usuária da Técnica Hertz®, reprogramei minha mente, minha vibração e meu próprio DNA para inverter a polaridade negativa que estava predominando e passar a vibrar na polaridade contrária positiva.

11. Lei do Ritmo

A Lei do Ritmo, também chamada de Lei do Movimento Perpétuo, evidencia que os ciclos são uma parte natural da harmonia do Universo. Essa lei nos ensina que tudo está em movimento e tudo muda o tempo inteiro, em um ritmo de nascimento, crescimento, morte e renascimento eterno que se expressa em todas as formas de vida e processos naturais, como as estações do ano, as fases da Lua, o fluxo e o refluxo das marés, o envelhecimento do corpo e também em elementos culturais como civilizações, impérios, sociedades, costumes, valores e moda. Também observamos a expressão da Lei do Ritmo em nossas próprias vidas, nos nossos altos e baixos no estado de saúde, bem como dos estados emocionais, afetivos, financeiros, profissionais etc.

Em associação com a Lei da Polaridade, a Lei do Ritmo mostra que tudo no Universo flui e reflui em um movimento pendular rítmico e simétrico de oscilação entre os polos, reforçando o que ensina a Lei da Polaridade: toda e qualquer situação, evento ou circunstância negativa pode ser transmutada em positiva.

A Lei do Ritmo explica por que durante a sua vida (ou melhor, suas vidas) você experimenta as variações das polaridades manifestadas em situações de alegria e tristeza, saúde e doença, escassez e abundância, sucesso e fracasso, ganhos e perdas etc.

Em última instância, a Lei do Ritmo acalenta seu coração com a certeza de que tudo é contingente, tudo passa e não há mal que dure para sempre. Portanto, se neste momento você estiver experimentando alguma polaridade negativa da vida, como doença, solidão ou pobreza, anime-se na certeza de que vai passar! No movimento constante do Grande Pêndulo da vida, nosso trabalho é abraçar o passeio vivenciando a jornada com entusiasmo.

LEI DO RITMO NA HOLO COCRIAÇÃO®

Na Holo Cocriação® da Realidade, a Lei do Ritmo confirma que nada é permanente e tudo é mutável, e apesar das suas percepções da realidade operadas pelos filtros das suas crenças e das aparências captadas pelos seus sentidos físicos, qualquer situação, evento ou circunstância negativa pode ser transmutada em positiva.

LEI DO RITMO NA PRÁTICA

Você não pode parar, impedir ou anular o movimento do pêndulo de modo a escapar das polaridades negativas. No entanto, você pode driblá-lo e não se permitir ser arrastado por ele, praticando um processo que os hermetistas denominaram de a *arte da transmutação mental*, que consiste

LEIS UNIVERSAIS

na habilidade de se manter no momento presente, sem "viajar" para o futuro através dos processos mentais e emocionais de preocupação, angústia e ansiedade, com o objetivo de neutralizar os julgamentos e necessidades urgentes do ego e elevar sua consciência à polaridade desejada, de modo que a vibração negativa não lhe afete.

Explicando de uma maneira mais simples, a elevação do nível de consciência, nesse caso, significa se manter vibrando na gratidão, na alegria e no amor, mesmo quando o pêndulo da sua vida estiver vibrando nas polaridades negativas. Dessa maneira, você não luta contra o ritmo e nem é arrastado como vítima dele, você se mantém consciente do movimento, mas recusando-se a perder o equilíbrio e se mantendo firme na polaridade desejada.

Em uma metáfora, é como se você construísse um viaduto na sua consciência que permite a manifestação de dois fluxos de movimentos sem que um afete o outro. Exercer domínio sobre si mesmo e não se permitir vitimizar mesmo nas situações mais adversas é a chave-mestra Hermética da Holo Cocriação® que aprendemos com a Lei do Ritmo.

BINGO DA ELAINNE

Vou falar novamente sobre aquela situação que já comentei, em que tive que exercer o pleno domínio sobre o desespero do meu ego para conseguir vibrar na gratidão por ter uma geladeira quando ela estava completamente vazia de alimentos, pois essa passagem da minha história traz de fato múltiplos ensinamentos, bingos em vários sentidos!

Talvez na época eu ainda não tivesse consciência, mas intuitivamente driblei a Lei do Ritmo ao renunciar me sentir vítima e reclamar da situação; todas as vezes em que eu fui capaz de ignorar as aparências (e aparências, nesse caso, eram minha barriga roncando e as crianças sentadas à mesa esperando por uma refeição) e, em vez de me desesperar, agradecer por minha linda geladeira que funcionava muito bem. Mesmo sem saber, eu construí um "viaduto" que me permitiu passar por cima da escassez e manter minha vibração elevada na abundância através do meu sentimento de gratidão. Se eu consegui fazer isso, você também consegue!

12. Lei do Gênero

Por último, mas não menos importante, a Lei do Gênero evidencia que tudo no Universo é formado a partir das duas energias ou princípios fundamentais da criação: Masculino (*yang*) e Feminino (*yin*). Tudo o que existe tem elementos masculinos e femininos, incluindo as pessoas, independentemente de seu gênero biológico.

No plano da matéria, a Lei do Gênero se expressa pelas diferenças biológicas e sociais entre machos e fêmeas, mas a Lei não se resume a sua expressão física, pois como todas as outras leis, essa também se aplica a todos os planos da existência.

No plano mental, a Lei do Gênero é evidenciada pelos dois aspectos da mente: consciente e inconsciente, de modo que, enquanto a energia masculina é orientada para a ação, expressada pela determinação e poder da vontade da mente consciente, a energia feminina, por outro lado, é um símbolo de dar e receber e é bastante passiva, representando nosso lado compassivo, expressado pelas sutilezas e abstrações da mente inconsciente. Por exemplo, quando algo drástico acontece em sua vida, seu lado feminino geralmente assume o controle e você se emociona, mas para agir e resolver o problema é a energia masculina que entra em jogo.

A Lei Universal do Gênero é confirmada pelas Neurociências através da decodificação das atividades predominantes dos hemisférios direito e esquerdo do cérebro: o hemisfério direito é considerado como predominantemente feminino, responsável pelo processamento criativo, emocional e intuitivo, enquanto o hemisfério esquerdo é considerado predominantemente masculino, responsável pelos processos lógicos e racionais.

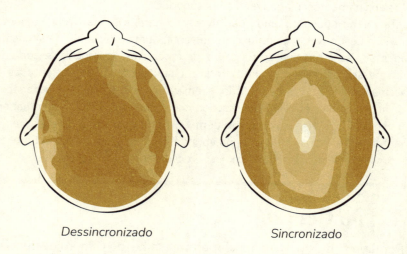

Dessincronizado *Sincronizado*

Conforme os neurocientistas, a sincronização dos dois hemisférios é um pressuposto para que o cérebro opere no seu melhor potencial, desem-

LEIS UNIVERSAIS

penhando uma gestão harmônica de pensamentos e emoções, comprovando cientificamente, mesmo sem ter a intenção, a importância do equilíbrio entre os aspectos masculinos e femininos.

Aponte a câmera do seu celular para o QR Code abaixo e encontre uma meditação guiada para o alinhamento dos hemisférios cerebrais.

LEI DO GÊNERO NA HOLO COCRIAÇÃO®

Na Holo Cocriação®, a Lei do Gênero evidencia a pressuposição do equilíbrio das duas energias da criação para a manifestação da realidade desejada, quer dizer, você não pode ficar somente no "mundo das ideias", imaginando e visualizando seu sonho realizado e se dedicando a elevação da sua consciência, como também não pode ficar só no esforço físico, no "trabalho suado", ignorando os aspectos sutis da movimentação energética e necessidade de alinhamento vibracional.

Igualmente, é indispensável que você harmonize sua vontade consciente com suas verdades inconscientes, praticando a auto-observação para identificação de eventuais crenças limitantes. O alinhamento da mente consciente com a mente inconsciente, ou seja, a união harmônica do princípio masculino com o princípio feminino, permite o alinhamento subsequente com a Mente Cósmica.

LEI DO GÊNERO NA PRÁTICA

No plano físico da matéria, você se alinha com a Lei do Gênero quando busca equilibrar suas expressões das energias *yin* e *yang*. Se você tiver um pouco de sensibilidade e prestar atenção, vai ver como é fácil identificar a energia predominante de uma pessoa independentemente de seu gênero biológico, pois é possível perceber se uma pessoa é mais masculina ou feminina. A proposta é que você preste atenção em si mesmo(a) para identificar qual é sua energia predominante, é normal ter uma das energias se sobressaindo à outra, contudo se houver excesso na expressão de uma em detrimento da outra, você precisará tomar algumas atitudes para buscar o equilíbrio.

Se você perceber que tem energia masculina em excesso, procure se dedicar mais a atividades contemplativas, música, dança, pintura e todas as formas de arte são excelentes para despertar a energia feminina. Mas se você perceber que tem energia feminina em excesso, então você deve procurar se dedicar a ser mais incisivo(a) em sua maneira de interagir com o mundo, a prática de esportes mais radicais ou de alto impacto é excelente para aflorar a energia masculina.

No plano mental, você harmoniza suas energias *yin* e *yang* ao praticar técnicas que promovam a sincronização dos hemisférios do cérebro e alinhamento da sua mente consciente e sua mente inconsciente. Obviamente, mais uma vez, eu recomendo a prática da Técnica Hertz®!

BINGO DA ELAINNE

No aspecto sutil da Lei do Gênero, na sua aplicação no mental, eu acessei o alinhamento no momento em que percebi que, apesar de ser a rainha do pensamento positivo, eu ainda tinha sentimentos negativos que indicavam a presença de crenças limitantes na minha mente inconsciente. Foi fazendo o trabalho de reprogramação dessas crenças com a prática da Técnica Hertz®, que consegui alinhar os desejos da minha mente consciente (princípio masculino) com as verdades da minha mente inconsciente (princípio feminino) para, enfim, cocriar a vida dos meus sonhos.

No plano da matéria, eu também precisei me alinhar com a Lei do Gênero, buscando fortalecer a presença dos aspectos delicados do feminino nos meus comportamentos. É da minha natureza expressar uma predominância de energia *yang*, o que se acentuou por eu ter passado tanto tempo sozinha sendo o "homem da casa" com meus filhos. Quando eu decidi cocriar minha alma gêmea, eu sabia que precisaria desacelerar um pouco, me permitir ser mulher, ser vulnerável, ser cuidada e paparicada, mesmo em gestos simples, como pedir ajuda para abrir um pote cuja tampa esteja muito apertada.

Capítulo 5
Cem bingos da Holo Cocriação®

Nesta parte do livro, vou compartilhar com você cem bingos (bingo é o termo que eu uso para me referir a uma grande sacada!) da Holo Cocriação® divididos em duas categorias: cinquenta bingos sobre pensamentos, sentimentos e comportamentos que você deve procurar adotar e incorporar e cinquenta bingos sobre pensamentos, sentimentos e comportamentos que você deve procurar neutralizar, diminuir ou eliminar. O objetivo é que você não só saiba exatamente o que fazer para cocriar os seus sonhos, como também saiba o que não fazer!

Bingos negativos
Pensamentos, sentimentos e comportamentos que você deve evitar ou eliminar

1. **AFIRMAÇÕES MAL FORMULADAS** – As famosas afirmações positivas talvez sejam a ferramenta de cocriação mais popular e, de fato, quando associadas a sentimentos e imagens, são bastante poderosas. Contudo, se você não souber formular suas afirmações de maneira estratégica, elas podem não surtir efeito nenhum ou pior, transmitir uma informação equivocada. Afirmações que começam com "eu vou", "eu quero", "eu desejo" ou "eu preciso" carregam a informação de que você não tem, não é ou não faz o que gostaria e, portanto, emanam vibração de escassez, que é justamente o oposto da abundância que

você deseja. No Treinamento Holo Cocriação de Sonhos e Metas®, eu ensino de maneira detalhada como formular afirmações positivas poderosas e como usá-las em associação com a Técnica Hertz e com a Visualização Holográfica®, mas o básico é que suas afirmações precisam ser sempre afirmativas e no tempo presente, expressando a informação do seu desejo já realizado, por exemplo: **eu sou próspero**.

2. **ANSIEDADE** — A ansiedade é uma das emoções mais nocivas e comprometedoras do processo de cocriação da realidade, ela em geral está associada à angústia, preocupação, desespero, medo e dúvida e, por isso, emite uma vibração baixíssima que bloqueia completamente a manifestação da realidade desejada. Além disso, a ansiedade impede o "soltar", elemento crucial da cocriação, provocando o Efeito Zenão. Portanto, limpar a ansiedade é uma prioridade para você entrar no fluxo do Universo e liberar seu poder cocriador. As polaridades contrárias da ansiedade são fé, confiança, alegria e gratidão por ter certeza de que seu sonho está a caminho.

3. **ARROGÂNCIA** — A arrogância é uma expressão da mais profunda falta de amor-próprio disfarçada de autoestima elevada porque mostra que a pessoa tem uma autoimagem de superioridade, seja por seus bens, posição social, conhecimentos ou habilidades. Na Escala das Emoções, o arrogante se encontra da frequência do orgulho (175 Hz) e, por isso, possui um ego muito vulnerável e reativo, acredita que tem sempre razão, não se preocupa com as necessidades ou sentimentos dos outros e em geral trata as pessoas muito mal. O arrogante é extremamente individualista e egoísta, vive na perspectiva da separação e, por isso, é incapaz de se conectar com a frequência abundante, alegre, harmônica e amorosa do Criador. Assim, essa atitude não sintoniza as frequências elevadas que permitem a cocriação de sonhos. As polaridades contrárias da arrogância são a compaixão, a humildade, a empatia e, é claro, o amor.

4. **AVAREZA E EGOÍSMO** — Avareza e egoísmo são sentimentos que normalmente andam juntos e se expressam na forma de dois comportamentos negativos complementares: enquanto a avareza consiste na compulsão por adquirir e acumular coisas, o egoísmo consiste na dificuldade de compartilhar essas coisas. A avareza e o egoísmo ressaltam a percepção da individualidade e a preocupação excessiva

com os próprios interesses em detrimento das necessidades dos outros. É importante sempre ter em mente que, conforme os princípios da cocriação da realidade, se você deseja receber, primeiro você tem de dar. Também tenha em mente que a autorização energética para obter prosperidade e abundância depende da sua intenção de retribuir ao Universo ajudando ao próximo.

5. **BAIXA AUTOESTIMA E FALTA DE AMOR-PRÓPRIO** – A baixa autoestima e a falta de amor-próprio produzem um sentimento de não merecimento que inibe e neutraliza sua pretensão de cocriar um sonho. Esses três sentimentos estão interconectados e sempre andam juntos impedindo suas cocriações, porque impedem a conexão com a energia do Criador pelo não reconhecimento da sua Centelha Divina. Não se valorizar e não se amar significa não reconhecer e não honrar o Divino em você; se você não se ama e não consegue acessar sua Centelha Divina, não é possível o alinhamento da sua mente individual com a Mente Cósmica e, por isso, o processo de cocriação parece não funcionar, mas quando você é capaz de se amar e se reconhecer como filho e herdeiro do Criador, o Universo vai lhe entregar toda a abundância que você acreditar que merece!

6. **CIÚME** – O ciúme é uma emoção perturbadora que pode levar à loucura, à agressividade e até mesmo à prática de assassinatos. Claro, como toda emoção, o ciúme se manifesta em vários níveis de intensidade; quando se apresenta em níveis patológicos e disfuncionais, independentemente de qualquer pretensão de cocriar sonhos, ele precisa ser clinicamente tratado, mas mesmo quando se apresenta em níveis moderados, ainda é um problema. O ciúme faz com que você tire o foco da sua vida e direcione sua energia para tentar controlar o comportamento do outro e para imaginar os possíveis cenários em que traições podem acontecer a qualquer momento. Dessa maneira, a pessoa não só acaba cocriando a traição que teme, como também não tem energia para cocriar seus próprios sonhos, uma vez que o ciúme ressoa com as frequências inferiores do medo, da não aceitação, da raiva, do desejo e do controle.

7. **COMEÇAR PENSANDO GRANDE DEMAIS** – Muitas vezes, os iniciantes no mundo da cocriação se deslumbram com as infinitas

possibilidades e com a aparente facilidade de cocriar prosperidade e abundância material e, querendo "dar o passo maior que a perna", começam logo pelos sonhos mais grandiosos que podem imaginar e acabam por se frustrar. Não que existam cocriações impossíveis, todas são viáveis, mas nem todas estão disponíveis para manifestação imediata na sua vida. E não é uma falha do Universo, e sim uma limitação da sua própria mente. Tudo é uma questão de lógica: você está desempregado, cheio de dívidas e quase passando fome, não faz sentido você começar se dedicando na cocriação de uma Ferrari de 1 milhão de dólares; o primeiro passo lógico é cocriar um trabalho e uma geladeira cheia! Você precisa ter cuidado para não ativar o "alarme" de segurança da sua mente que dispara todas as vezes que você deseja conscientemente algo que seu inconsciente considera impossível. Portanto, o ideal é que comece devagar, com pequenas cocriações e, assim, você ganha confiança para expandir aos poucos.

8. **COMODISMO** – O comodismo é o comportamento de apego às rotinas, apego ao que é conhecido e familiar, ainda que medíocre ou desagradável. É uma expressão da resistência inconsciente à mudança e leva a uma inércia, uma ausência de movimento e ação que deixa o fluxo energético perigosamente estagnado e reduz de maneira drástica a Frequência Vibracional®, impedindo o acesso à vibração elevada das infinitas possibilidades da Matriz Holográfica®, onde estão os seus sonhos. Entenda que, no Universo, não existe tal coisa como estabilidade, de modo que tudo o que não avança, não progride e não se movimenta em direção à evolução, eventualmente, entra em um processo de entropia, o qual pode se expressar através da manifestação de uma situação crítica que vai obrigar a pessoa a agir, como uma doença, um divórcio ou uma falência. Portanto, não fique parado esperando que a vida lhe empurre, saia da sua zona de conforto e se dedique ao seu crescimento e à realização dos seus sonhos.

9. **CONDICIONAR SUA FELICIDADE** – Esse é um erro que muita gente inconscientemente comete: praticar técnicas de cocriação da realidade para manifestar um sonho e só então sentir-se pleno, completo e feliz. As pessoas pensam coisas como: *"eu serei muito feliz e grato quando ganhar na mega-sena, quando me curar, quando comprar minha casa*

nova, quando me casar, quando me formar, quando..." O problema é que se você afirma que será feliz e grato quando o seu desejo se realizar, está, implicitamente, emitindo a informação de que, no momento, não é feliz e grato, e que você precisa que algo aconteça para se sentir assim. Ou seja, em última instância, você está vibrando na não aceitação da realidade do momento presente, situação que anula suas possibilidades de cocriar uma nova realidade. Se você condiciona sua felicidade à materialização do seu desejo, infelizmente, você não terá nem uma coisa, nem outra. Por outro lado, se consegue ser feliz antecipadamente, decerto seus desejos se materializarão como um bônus!

10. **CONSUMIR CONTEÚDOS DE BAIXA VIBRAÇÃO** – Toda informação que você acessa, seja pela leitura, por filmes, vídeos, músicas, jogos de videogame, conversas etc., é gravada na sua mente e influencia a intensidade da sua Frequência Vibracional®. Além disso, sua mente não sabe diferenciar que você está apenas lendo/ ouvindo/ vendo uma informação sobre outra pessoa ou se está assistindo um filme de ficção ou apenas se "divertindo" com o um joguinho violento. Se você experimenta as emoções negativas transmitidas pela informação que está acessando, sua mente pensa que é você quem está passando pela situação, e a vibração dessas emoções fica impregnada no seu campo e vai influenciar na cocriação da sua realidade. Não faz sentido investir seu tempo, dinheiro e energia para fazer um treinamento, estudar, limpar crenças, praticar técnicas e se dedicar à cocriação do seu sonho e, ao mesmo tempo, estar voluntariamente experimentando emoções negativas que não são suas; se você está se trabalhando para se alinhar com as emoções superiores dos níveis de consciência elevados como a aceitação, o amor e a alegria, não pode ficar neutralizando seu trabalho consumindo violência, raiva, sofrimento, guerra, doença, pobreza, indignação e revolta através de notícias jornalísticas sobre crimes ou filmes de terror, por exemplo. Se você está 100% comprometido(a) com a cocriação do seu sonho, nutra sua mente apenas com conteúdos de alta vibração que vão potencializar sua Frequência Vibracional®!

11. **CONTROLE** – Para muitas pessoas, o sentimento de estar no controle da situação é uma necessidade de sobrevivência e um mecanismo de proteção. O controle excessivo, porém, impede a expressão da fé

e da confiança, elementos fundamentais da cocriação. No controle, a percepção da pessoa é de que é melhor estar em uma situação ruim, mas que seja familiar e previsível, do que correr riscos para promover alguma mudança ou melhoria; no controle, a pessoa luta para prever seu futuro com base nas suas experiências passadas, de modo que não é possível a cocriação de nada genuinamente novo, porque não se sente segura em se abrir para as infinitas possibilidades. Além disso, o fato certo de não conseguir controlar tudo produz sentimentos de ansiedade, medo, pânico e desespero, catalisadores do Efeito Zenão.

12. **DESESPERO** – Ainda que você esteja com seu bebê internado no hospital (situação em que eu já estive, como você deve ter me ouvido comentar em alguma ocasião), que você tenha um oficial de justiça batendo à sua porta com uma ordem de despejo, ou outra situação grave e desesperadora, entenda que seu desespero jamais cocriará uma solução para seu problema; pelo contrário, vai potencializá-lo. A vibração do desespero é a frequência da vitimização, do medo, da angústia, da culpa, ou seja, é baixíssima e incapaz de movimentar a energia necessária para uma solução imediata. Em situações agudas de desespero, por mais difícil que pareça, você precisa manter a calma e ser capaz de transcender as informações do "mundo caindo" à sua volta, recolher-se por um momento, praticar a Técnica Hertz® para inverter a polaridade do desespero para a confiança, visualizar, sentir e agradecer a solução do problema agora.

13. **DESORGANIZAÇÃO** – A falta de organização e de planejamento leva-o a um estado de inércia no qual você até mentaliza e visualiza seus sonhos, mas não consegue realizá-los por falta de um direcionamento na execução das suas ações. Sabe aquela frase super popular do universo da Lei da Atração que diz "entrego, confio, aceito e agradeço"? Pois bem, por mais poética que seja, ela está incompleta, uma vez que omite a parte de que você precisa se organizar e agir. Claro que devemos confiar no Criador, entregar-lhe nossos sonhos, soltar e agradecer; contudo, além disso, você precisa se organizar e planejar suas ações para conquistar aquilo que entrega e agradece!

14. **EGO ESPIRITUAL** – Esse conceito irônico foi mencionado por Eckhart Tolle para fazer referência à vaidade e arrogância que muitas vezes se

manifesta camuflada de espiritualidade. Uma pessoa que tem um ego espiritual é aquela que, apesar de não expressar ostensivamente, tem a percepção de si como ligeiramente superior aos demais em decorrência de sua busca espiritual, é aquela pessoa que tem uma super habilidade de apontar as reações do ego dos outros, mas que se considera livre do próprio ego. A questão aqui é sutil, porém, o fato é que, se você tiver qualquer sentimento de que sua consciência é um nível acima das demais pessoas que você convive e se envaidecer com isso ou expressar qualquer tipo de arrogância em vez de colocar sua suposta iluminação à serviço da humanidade, dedicando-se amorosamente a ajudar o próximo, isso significa que infelizmente você ainda está vibrando no orgulho, em uma frequência muito aquém da que acha que está emitindo, uma frequência que não cocria sonho nenhum. A busca espiritual e a expansão da consciência são fins em si mesmos, jamais podem ser consideradas como um meio para obter honras e ser reconhecido como mestre.

15. **ESFORÇAR-SE** – Há pessoas que têm a crença limitante de que grandes conquistas demandam grandes esforços, acreditam que, se não trabalharem duro e exaustivamente, a abundância e o sucesso jamais serão alcançados. Nesse caso, como Joe Dispenza ensina, a pessoa está operando sob as leis da Física Clássica, tentando mudar a matéria a partir da própria matéria; ou, como ensina David Hawkins, a pessoa está operando na força e não no poder. Assim, se o estudo, a prática das técnicas e a execução das tarefas necessárias para a realização dos seus sonhos estiverem na frequência do esforço, tudo fica mais difícil e demorado. Para sair do esforço e entrar no fluxo do Universo, é preciso acreditar que o sonho de fato não virá gratuitamente, mas também que não precisa se matar por ele; basta você fazer sua parte, não oferecer resistência e confiar que o plano do Universo sempre excederá seus próprios planos e que o Universo está sempre conspirando para levá-lo ao bem maior.

16. **FALTA DE COMPROMETIMENTO** – Todo mundo tem sonhos, mas poucos estão dispostos a se comprometer 100%, de todo o coração, em tornar seus sonhos realidade. Além da capacidade de elevar sua Frequência Vibracional® e alinhar seus pensamentos, sentimentos e comportamentos, a rapidez com que seu objetivo vai se realizar

depende muito do seu grau de comprometimento. A cocriação do sonho demanda total dedicação em prover consistentemente a energia mental e emocional combinada com as ações para realizá-lo, de modo que o Universo não poderá ignorar seu desejo de abundância e sucesso pessoal e material; o Universo ama persistência e sempre recompensa aqueles que se dedicam totalmente a um objetivo. Portanto, tome atitude, seja disciplinado e entre no jogo para vencer!

17. **FALTA DE FÉ** – Na ausência do sentimento de fé, a pessoa não é capaz de reconhecer que o Criador está e age através de si, de modo que é muito fácil "escorregar" para a vibração do medo, da insegurança e da dúvida. A fé é a crença inabalável da realidade que existe, mas que não pode ainda ser vista nem tocada fisicamente, ou seja, sem fé, é impossível se conectar com a Matriz Holográfica® e acreditar que seu sonho já existe como uma onda de informação e energia. Se a pessoa não acredita, ela não direciona sua atenção; e dessa maneira não tem colapso da função de onda, não tem cocriação. No fim das contas, a questão é "como você pode ser cocriador, se você não tiver fé para validar o Criador?", afinal, sem Ele, ninguém é cocriador de nada!

18. **FALTA DE FOCO** – É normal que uma pessoa tenha vários desejos e sonhos diferentes distribuídos entre os pilares de sua vida: pode desejar ganhar na loteria, emagrecer 15 quilos, um apartamento e um carro novo, casar-se, viajar pela Europa, abrir uma empresa, curar-se de uma gastrite, fazer um doutorado e se sentir mais conectada com o Divino... tudo ao mesmo tempo! Contudo, a cocriação pressupõe foco, e isso quer dizer que você precisa hierarquizar seus sonhos por ordem de prioridade e direcionar 100% da sua atenção e energia para cocriar um de cada vez, ou pelo menos uma categoria por vez. Não que seja impossível cocriar vários sonhos de diferentes pilares ao mesmo tempo, mas com certeza é mais desafiador, uma vez que inevitavelmente sua energia é dissipada.

19. **FOFOCA (MALEDICÊNCIA)** – Chamada de maledicência no vocabulário da Psicologia, a popular fofoca consiste no hábito de falar mal dos outros, passar notícia ruim para frente, julgar e dar opiniões sobre a vida alheia, expondo a intimidade das pessoas e colocando-as em situações embaraçosas. Tanto o consumo como a propagação de fofoca são comportamentos que geram intrigas e conflitos, em ressonância com

as vibrações baixas da inveja, do julgamento, do desejo e do orgulho, todas drenam sua energia vital (que poderia ser usada para cuidar da sua vida!) e reduzem sua Frequência Vibracional®. Na verdade, quando você direciona sua atenção e se diverte às custas do constrangimento alheio, o Universo "entende" que você ama isso e providenciará situações nas quais você também possa ser alvo de fofocas. Sócrates, filósofo grego, já naquele tempo orientava seus discípulos sobre como manusear toda e qualquer informação a que tivessem acesso com uma metodologia que ficou conhecida como o "Triplo Filtro de Sócrates", a qual consiste em avaliar o repasse da informação pelos filtros da verdade, da bondade e da utilidade. Certamente, essa metodologia continua sendo de grande valia na atualidade!

20. **FRASES DESEMPODERADORAS** – Frases que começam com "eu não consigo", "eu não posso", "eu não tenho", "eu não mereço" ou que expressam autocrítica como "eu sou mesmo muito burro, lento, estúpido, pobre, azarado" ou outras expressões limitantes equivalentes são extremamente desempoderadoras e debilitam seu campo eletromagnético. Toda palavra possui uma frequência, uma vibração capaz de afetar a matéria, como foi comprovado por Masaru Emoto através de seu famoso experimento com moléculas de água congelada. É preciso ficar atento, pois em geral essas frases saem no piloto automático, como um hábito, diretamente da mente inconsciente e podem neutralizar todo o seu trabalho em praticar técnicas e sua dedicação em elevar sua Frequência Vibracional®.

21. **GUARDAR MÁGOAS** – Quem guarda mágoas e sustenta sentimentos de raiva, tristeza e ressentimento, inevitavelmente, vibra na vitimização, na compreensão de que alguém lhe fez mal, lhe prejudicou ou ofendeu e ainda não entendeu que é 100% responsável pela própria vida e por tudo o que lhe acontece. Além disso, mantém ofendido e ofensor energeticamente conectados, e essa conexão suga a energia vital de ambas as partes, em especial da "vítima", de maneira que se torna impossível vislumbrar um novo futuro, pois a pessoa está enraizada no passado, curtindo ser vítima. A superação das mágoas, naturalmente, pressupõe a aceitação e o perdão, bem como a gratidão pela oportunidade de cura e aprendizado e a plena compreensão e prática da autorresponsabilidade.

22. **INGRATIDÃO** – Juntamente com a reclamação, a ingratidão é um dos principais bloqueadores do poder de cocriar qualquer forma de abundância. A ingratidão consiste na incapacidade de perceber e reconhecer as bênçãos que se tem, por isso, está diretamente conectada à vibração de escassez, uma vez que o ingrato só consegue enxergar aquilo que está faltando e não consegue perceber a abundância que já existe à sua volta. Como sabe, você cocria mais daquilo em que põe sua atenção e "descocria" aquilo para o que não dá atenção, portanto, quem não agradece o que tem, energeticamente, está enviando para o Universo a informação de que não aprecia as coisas que tem, que elas não são importantes, e, assim, corre o risco de, a qualquer momento, desmaterializar o pouco que tiver. É justamente esse o sentido da passagem bíblica que diz *"pois a quem tem, mais será dado, e terá em abundância, mas a quem não tem, até o que tem lhe será tirado"* (Mateus 13:12).[8] Por isso, se você quer receber mais, lembre-se de diariamente agradecer o que já tem, até mesmo pelas coisas óbvias, como o ar que você respira e por ser capaz de se sentar no vaso sanitário sem precisar de ajuda. Quanto mais gratidão, mais abundância!

23. **INSEGURANÇA** – A insegurança é um grande sabotador da cocriação, pois causa confusão mental, emocional e energética, impedindo que você enxergue com clareza seus objetivos e consiga fazer boas escolhas. A insegurança também é permeada pelo medo de tentar e pelo sentimento de não merecimento, o que, em última instância, revela falta de fé e desconexão com a Fonte Criadora. Para conseguir cocriar o seu sonho, é fundamental que você esteja seguro a respeito do que deseja, bem como que acredite que merece, que seu sonho é possível e que confie em si mesmo(a) e na perfeição amorosa do Universo.

24. **INVEJA** – A verdadeira inveja não é no sentido que mencionamos no dia a dia, quando vemos algo de alguém e desejamos ter igual, até usamos a expressão "invejinha branca". Desejar ser como alguém, ter o que alguém tem ou fazer o que alguém faz e agir para conseguir

---

[8] BÍBLIA. Português. **Bíblia on-line: nova tradução na linguagem de hoje.** Sociedade Bíblica do Brasil, 2000. Disponível em: https://www.bible.com/pt/bible/211/MAT.13.NTLH. Acesso em: 25 maio 2022.

uma experiência semelhante conquistada com recursos próprios é um processo inofensivo e, de certo modo, até saudável porque permeia a inspiração e a motivação. A verdadeira inveja, a "inveja do mal", é aquele desejo de estar no lugar do outro combinado com sentimentos de inferioridade e de ressentimento pelo sucesso do outro, muitas vezes acompanhado também pelo desejo secreto de que o outro se dê mal ou perca o que tem. Essa é uma vibração extremamente perigosa, que mistura escassez, desespero, baixa autoestima e raiva, vibração que aniquila qualquer possibilidade de cocriação de abundância. Para saber a diferença, observe se você consegue apreciar a felicidade alheia ou se sente desconforto e até raiva. A polaridade contrária da inveja é a gratidão pelo que você é, tem ou faz, a qual lhe permite tirar o foco do outro e alegrar-se com a abundância que você já tem.

25. **JULGAMENTO** – O julgamento é uma função de sobrevivência, é da natureza da mente humana avaliar, a todo momento, as situações, objetos, pessoas e lugares como bons ou ruins, favoráveis ou desfavoráveis. Quando se torna um vício e se sobrepõe à sua capacidade de aceitação e de expressão da compaixão, ele leva a sentimentos de baixíssima vibração, como egoísmo e intolerância. Um aspecto interessante do julgamento é que ele é uma espécie de espelho: tudo que você vê nas outras pessoas, seja bom ou ruim, está vibrando em você em algum nível, por isso, quando você se torna consciente do seu julgamento, está diante de uma oportunidade de autoconhecimento, cura e aprendizado.

26. **JUSTIFICAÇÃO** – A justificação, como eu costumo falar, são as "historinhas pra boi dormir" que contamos para nós mesmos e para os outros a fim de explicar o fracasso, a escassez e a estagnação na vida. Você sabe que está justificando quando fala uma frase e adiciona um "mas" para se desculpar: "eu quero malhar, mas a mensalidade da academia é muito cara; eu quero começar meu canal no YouTube, mas não tenho o equipamento; eu quero ser uma pessoa calma, mas meus pais me irritam" e assim por diante. O hábito de se justificar é extremamente danoso, leva à vibração da vitimização e impede você de agir para cocriar seus sonhos (e você ainda acha que tem razão!). A polaridade contrária da justificação está associada à disposição, que vibra 310 Hz na Escala das

Emoções e é o nível de consciência no qual a pessoa consegue direcionar sua energia de maneira mais eficiente e funcional, com boa vontade para executar suas ideias apesar de eventuais condições adversas e, assim, começa a trilhar o caminho para cocriar a realidade.

27. **MALÍCIA** – Como polaridade contrária da benevolência, a malícia consiste em uma inclinação para pensar mal dos outros, interpretar as situações no mau sentido, agir com astúcia, dissimulação e segundas intenções. Na malícia, a pessoa sempre prevê e espera o pior dos outros, sempre acha que, a qualquer momento, pode ser "passada para trás". Adivinha o que acontece? A pessoa cocria as situações que sua malícia antecipou e ainda se orgulha de sua esperteza. Pensamentos, sentimentos e comportamentos maliciosos geram uma frequência contrária à generosidade, à compaixão e, sobretudo, ao amor, e por isso, debilitam sua Frequência Vibracional®, impedindo a cocriação de qualquer forma de abundância, afinal, quem pensa mal dos outros e quem espera ser enganado e traído a qualquer momento, infelizmente, jamais irá cocriar prosperidade, apenas situações de traições que servirão para confirmar a malícia.

28. **MAU HUMOR** – O mal-humorado é aquele que vive em um constante estado de insatisfação, queixa, reclamação, irritação ou desgosto; é aquela pessoa para quem nada nem ninguém é bom, agradável ou belo o suficiente; aquela pessoa incapaz de sorrir quando vê um bebê ou um cachorrinho. O estado de mau humor faz com que a pessoa sempre veja o copo meio vazio, e nunca meio cheio. Vibrando no mau humor, a pessoa não percebe a beleza e a abundância à sua volta, é incapaz de expressar apreciação ou gratidão e, por isso, emite uma frequência muito baixa, responsável pela cocriação de mais eventos e situações que reforçam seu mau humor. Como você já sabe, a cocriação consciente de sonhos pressupõe, no mínimo, a vibração da aceitação (350 Hz), mas que atinge seu pleno potencial do cocriador na vibração da alegria (540 Hz). Então, xô mau humor!

29. **MEDO** – O medo é uma emoção primária fundamental na garantia da sobrevivência, porém ele é um problema quando se torna um estado permanente, provocando a sensação de insegurança e a percepção de que a qualquer momento algo muito ruim pode acontecer e, que,

portanto, é melhor estar preparado para os piores cenários que possa imaginar. O medo também paralisa, inibe a tomada de decisões e a capacidade de agir, impedindo que a vida flua e que a pessoa cresça e prospere. Logicamente, quem vibra no medo e espera que o pior aconteça, cocria apenas situações equivalentes a essa vibração. Entenda, contudo, que o medo faz parte da natureza humana e que mesmo cocriadores experientes eventualmente sentem medo, mas a diferença está em não se permitir ser paralisado pelo medo, e sim agir mesmo com medo! Na Escala das Emoções, a polaridade contrária do medo é a coragem, nível de consciência em que a pessoa se sente motivada a tentar, a experimentar coisas novas e já tem energia para agir.

30. **MESQUINHEZ** – A mesquinhez consiste na dificuldade de gastar ou usar o que se tem, em uma expressão inconsciente da percepção de que não existe o suficiente para todos e que a qualquer momento pode faltar, na mais completa ignorância a respeito da abundância do Universo. O mesquinho normalmente é aquela pessoa que conta moedas, que faz questão de centavos ao receber um troco, que se sente mal em emprestar, dividir ou doar, que procura economizar em tudo, que sempre compra tudo da marca mais barata e que não consegue desfrutar de nada porque tem pena de usar as coisas que possui e de gastar o dinheiro que tem. A mesquinhez está em perfeito alinhamento com a escassez e também ressoa com a frequência do medo e do desejo, não só anulando a possibilidade de cocriação de prosperidade, mas ainda correndo o risco de perder o que tem em decorrência de seu total desalinhamento com natureza fluida da riqueza e com a abundância infinita do Universo.

31. **METAS E PRAZOS INDEFINIDOS** – O processo de cocriação da realidade possui uma parte energética, que consiste na aplicação das técnicas e busca pelo alinhamento vibracional, mas também tem uma parte prática, que consiste na execução das tarefas necessárias para a realização do seu sonho. O Universo sempre diz sim para as suas cocriações quando há o devido alinhamento energético, contudo, para entregar seu sonho na matéria, ele precisa de um aparelho funcional apto a recebê-lo. É nesse sentido que estabelecer metas e definir prazos se torna elemento fundamental no processo de cocriação, pois

você não pode ficar só meditando e visualizando seu sonho, tem de efetivamente agir para que ele se realize. Quando você não define suas metas e nem os prazos de execução de cada etapa, é muito fácil se perder no meio do caminho com a procrastinação, a desmotivação e a dúvida (e a pessoa ainda reclama que a Lei da Atração não funciona para ela!).

32. **MUITA TEORIA E POUCA PRÁTICA** – Para o exercício do pleno poder de cocriação, é indispensável que você coloque seu conhecimento teórico em prática, é preciso levar o que você sabe intelectualmente para sua experiência. Tem gente que sabe tudo na teoria, que é capaz de escrever um livro ou dar uma palestra sobre cocriação, que ensina os amigos a cocriar e testemunha resultados incríveis, mas que mal consegue cocriar para si mesmo uma boa vaga no estacionamento do shopping. Isso acontece porque a cocriação não é um processo intelectual, não é algo que você sabe, é algo que você é, sente e faz. A prova disso é que tem gente que, mesmo sem nunca ter ouvido falar de *O segredo*, cocria sua realidade de modo natural e espontâneo, de uma maneira tão espetacular que chega a causar uma invejinha em quem já leu toda a literatura disponível sobre o assunto. Portanto, se você acha que sabe tudo sobre cocriação e se sente exausto de tanto estudar, eu sugiro que preste atenção e reflita se está realmente adequando seu ser e fazer em conformidade com as teorias das quais se orgulha de conhecer.

33. **ORAR PEDINDO** – Ao fazer suas orações, se você expressa um pedido ou uma súplica, algo como "Deus, por favor, me conceda tal coisa" ou "Deus, eu vos suplico, eu preciso de...", por mais lindas que sejam suas palavras de louvor, infelizmente, você estará emitindo uma vibração de escassez proporcional à intensidade da sua súplica. Entenda que Deus não pode lhe dar nada porque Ele já lhe deu tudo; Ele lhe deu o livre-arbítrio e o poder de cocriar junto com ele através da vibração dos seus sentimentos. Como ensinam Gregg Braden e Neville Goddard, as orações mais poderosas são aquelas que não pedem nada, mas que agradecem antecipadamente pelo pedido que será realizado.

34. **PERCEPÇÃO DE ESCASSEZ** – A percepção de escassez é uma espécie de vício mental que faz com que a pessoa só enxergue escassez, que

direcione seu foco apenas para os elementos que estão faltando e não consiga perceber a abundância, como naquela metáfora do copo meio vazio. Na percepção de escassez, uma pessoa pode estar diante de uma mesa posta com um banquete com cinquenta variedades de pratos sofisticados e ainda vai comentar "nossa, está faltando um saleiro deste lado da mesa". Apesar de totalmente inconsciente, a mentalidade de escassez pode ser trazida para a luz da consciência e ser alterada pela prática da auto-observação, de modo que todas as vezes em que perceber que está focando na escassez, você se coloca na missão de apontar pelo menos meia dúzia de elementos de abundância que estavam passando despercebidos.

35. PREGUIÇA – A preguiça consiste em uma falta de disposição crônica para agir, podendo ser um sintoma de depressão ou um disfarce para a resistência às mudanças. Pontualmente, é normal sentir preguiça, o problema é quando ela se torna uma constante, fazendo com que a pessoa não tenha ânimo para trabalhar, estudar, progredir, crescer e até mesmo para viver. A preguiça em geral se apresenta associada com outros sentimentos de baixa vibração, como tristeza, apatia, melancolia, desinteresse, comodismo, insatisfação e descontentamento. A preguiça prejudica duplamente a cocriação de sonhos: tanto porque mantém a pessoa nas frequências inferiores da Escala das Emoções, como também a paralisa, impedindo-a de agir para buscar realizar seus objetivos.

36. PRESSA – Uma característica fundamental do Universo e da Matriz Holográfica® é que eles não "trabalham" com urgências, uma vez que as ondas das infinitas possibilidades estão em outra dimensão, na qual não existe tempo linear. O tempo da sua cocriação não é o seu tempo, simples assim. Ter pressa não adianta de nada, e ainda atrapalha, pois você entra em ressonância com as frequências inferiores da ansiedade, da total escassez e do desespero, as quais além de lhe colocar na posição de vítima, também provocam o Efeito Zenão. Portanto, se sua cocriação é urgente e você tem muita pressa, a primeira coisa a fazer é limpar essa pressa, e a segunda é sustentar sua vibração elevada na gratidão, no amor e na alegria, ficando bem longe da frequência da vítima impotente, apressada e desesperada.

37. **PROCRASTINAÇÃO** – Em palavras simples, a procrastinação pode ser explicada como o "vício em adiar", em deixar para amanhã aquilo que deveria ser feito hoje. Em geral, a procrastinação pode ser interpretada como uma expressão da resistência do ego em sair da zona de conforto e agir em busca das mudanças conscientemente desejadas. A procrastinação se expressa através das justificativas brilhantes que damos a nós mesmos para não agir: *hoje não posso porque meu filho está com febre, porque estou gripado, porque estou muito cansado, porque está muito calor* etc. Segundo Napoleon Hill, a polaridade contrária da procrastinação é a decisão firme que lhe permite superar as conversas internas sabotadoras e fazer o que tem de ser feito para conquistar o sucesso que você deseja hoje.

38. **PROMISCUIDADE** – Quando uma pessoa exerce sua sexualidade com a prática excessiva de sexo casual com desconhecidos, bem como consumindo (e/ou fornecendo) pornografia e prostituição, tem uma grande parcela de sua energia vital drenada e não consegue aproveitar sua energia sexual (libido) para manifestar sua criatividade. Além disso, como nas relações sexuais ocorre um intercâmbio energético pelo qual as informações do campo eletromagnético de uma pessoa podem ficar impregnadas por meses no campo da outra, ao manter relações sexuais com desconhecidos, a chance de receber vibrações negativas é muito grande, vibrações essas que vão atrapalhar a vida, e a pessoa não vai nem se dar conta do motivo. Outro aspecto é que a energia da sexualidade é uma energia sagrada, pois é a energia da criação da vida, e isso implica que ela precisa ser tratada com respeito e muito bem direcionada. Não que você precise se tornar celibatário ou praticar sexo apenas para procriar, mas, se você deseja se manter em alinhamento com a energia da criação e ser capaz de direcioná-la para algo além do seu prazer físico, como a cocriação de um grande sonho, você vai precisar ser mais seletivo e disciplinado na escolha de seus hábitos e parceiros sexuais.

39. **RAIVA E ÓDIO** – A raiva e a sua expressão mais extrema e intensa, o ódio, são um verdadeiro veneno para o seu corpo físico e para o seu campo eletromagnético, que tanto comprometem sua saúde física como anulam seu poder de cocriador da realidade. A raiva e o

ódio, bem como qualquer outro sentimento negativo que você nutre em relação a si mesmo(a), aos outros ou a situações e circunstâncias da vida, ficam impregnadas no seu campo, diminuindo drasticamente sua Frequência Vibracional®. Como estamos todos interconectados, a raiva ou o ódio que você emana para outra pessoa atinge a você mesmo(a) e sustenta sua realidade de doença, escassez e tristeza. Claro, sentir raiva é normal, é uma emoção natural, e não estou falando aqui em reprimir ou eliminar por completo a raiva, o que seria impossível; o que você deve fazer é praticar o autocontrole para sentir raiva e deixá-la ir, não ficar a "alimentando", permitindo que ela se torne seu estado de ser a longo prazo.

40. **RANCOR DO(A) EX** – Quando um relacionamento acaba, é muito comum restar um sentimento de mágoa e rancor na parte que julga que foi abandonada, traída, enganada ou ofendida, de modo que a pessoa pode ficar muito tempo, às vezes o resto da vida, vibrando no rancor, no ressentimento e na vitimização, o que reduz drasticamente sua Frequência Vibracional® e impede cocriações. A superação desse sentimento pressupõe a aceitação do que aconteceu, a renúncia ao papel de vítima, a capacidade de honrar a parte boa do relacionamento e de perdoar a parte ruim e ainda agradecer o aprendizado e a oportunidade de crescimento e amadurecimento que a experiência possibilitou.

41. **RECLAMAÇÃO** – A reclamação possui uma frequência baixíssima, de aproximadamente 30 Hz, e anula completamente qualquer possibilidade de cocriação, só produz mais motivos para reclamar. A reclamação é um hábito inconsciente que arrasta a pessoa para uma vibração de descontentamento, insatisfação constante, vitimização, raiva e outros sentimentos de baixa vibração, mas o principal aspecto da reclamação é que ela inibe a percepção da abundância que já existe e a expressão da gratidão, por isso pode ser considerada a antagonista número um da cocriação.

42. **RELAÇÕES EXTRACONJUGAIS** – A pessoa que é casada e tem um(a) amante ou a pessoa que é solteira e está em um relacionamento com outra que é casada, com essa atitude de desonestidade e desrespeito em relação a seus cônjuges, acaba por emanar uma Frequência Vibracional® incompatível com a cocriação de sonhos, pois as relações

extraconjugais vibram no desejo (apenas 125 Hz) e, muitas vezes, são uma expressão de baixa autoestima e falta de amor-próprio. Uma mulher que se dispõe a manter um relacionamento com um homem casado, por exemplo, apesar de achar que é amor, no fundo está vibrando no não merecimento e na dependência emocional, uma vez que se submete a um relacionamento às escondidas, abstendo-se de coisas simples e prazerosas como andar de mãos dadas em público e correndo o risco de a qualquer momento passar pelo grande constrangimento de ser exposta como "a outra". Sem moralismo, analisando apenas o aspecto energético, a manutenção de relações extraconjugais, sejam eventuais ou de longo prazo, impedem o alinhamento com as frequências elevadas da abundância do Universo.

43. **RESISTÊNCIA** – A resistência é o mecanismo de proteção da sua mente inconsciente contra tentativas de mudanças de padrões e alterações de crenças. Ela se expressa através das conversas internas sabotadoras, daquela vozinha que diz, por exemplo, *"deixa essa meditação para amanhã, você está com tanto sono; não vá para academia hoje, está chovendo; se você for mesmo promovido, você trabalhará feito um burro de carga"*, e outras sugestões ou "conselhos" para que você não aja em prol da mudança que deseja. Somente quando você alcança a autodisciplina e se torna mais insistente que sua mente, mostrando para ela que sua consciência está no comando, é que você se conecta com sua Centelha Divina e acessa as infinitas possibilidades! A cocriação que você deseja está além dos limites da sua mente, está na sua renúncia em oferecer resistência na forma de pensamentos, sentimentos e comportamentos incongruentes com a realização do seu sonho. As polaridades contrárias da resistência são a permissão e a ação inspirada.

44. **SENTIMENTO DE QUE SEU SONHO É PECADO** – Dependendo de como a pessoa vivenciou a religião na infância – mesmo que tenha se tornado um adulto aparentemente "descolado" da religião –, há crenças equivocadas sobre a noção de pecado e castigo que seguem ativas em sua mente inconsciente, limitando sua percepção da realidade e poder de cocriar. Se a pessoa deseja, por exemplo, muita riqueza, opulência, um corpo sexy ou até mesmo uma simples prótese mamária, por mais

que deseje e trabalhe conscientemente para realizar seu sonho, a noção de pecado vai produzir alguma forma de autossabotagem por conta das crenças vinculadas à religião. A transmutação desse sentimento pressupõe uma ressignificação de sua relação com o Divino e com a espiritualidade, no sentido de compreender que veio para esta vida para ser feliz e que o Criador é 100% amor e alegria.

45. **TRISTEZA** – Tristeza corresponde à consciência do sofrimento, vibrando apenas 75 Hz na Escala das Emoções. Nesta vibração, a pessoa considera o fracasso, a escassez e a dor como algo natural e constante e justamente em decorrência dessa perspectiva se torna impossível a cocriação de qualquer realidade de sucesso, alegria, prosperidade e abundância. A polaridade contrária da tristeza, óbvio, é a alegria, emoção que em conjunto com o sentimento de gratidão, consiste na senha universal para reivindicar a manifestação do seu desejo, pois a alegria gera o melhor e mais potente campo eletromagnético e promove a expansão da consciência para níveis muito elevados, uma vez que é a frequência do Universo, do próprio Criador!

46. **USAR SUA DOR COMO DESCULPA** – Muitas pessoas, presas na vitimização, caem na tentação de usar suas dores do passado ou atuais como uma desculpa perfeita para não ser feliz. Pensam, por exemplo: *"eu sou triste assim porque perdi meus pais quando era criança; porque fui abusada; porque cresci em um orfanato; porque estou doente"*. O objetivo dos desafios da vida, por mais dolorosos que sejam, é o seu aprendizado, o seu crescimento; toda grande dor pode ser traduzida como uma oportunidade de elevação de consciência e transmutação do sofrimento em sabedoria e serviço à humanidade. Veja o exemplo de Oprah Winfrey e Tony Robbins, ambos tiveram infâncias extremamente desafiadoras, marcadas pela violência e pela pobreza, e transformaram suas dores em sucesso e inspiração; veja também o exemplo de Viviane Senna, irmã de Ayrton Senna e de D. Lucinha Araújo, mãe do Cazuza, que transmutaram a dor da perda de seus entes queridos em projetos sociais lindíssimos. É esse o objetivo da dor – ser sua mestra ao mostrar o caminho da sabedoria e da generosidade.

47. **VERGONHA E CULPA** – Como você já aprendeu, a vergonha é a frequência mais baixa da Escala das Emoções, vibrando apenas 20 Hz.

É uma vibração tão baixa, quase nula, que está perigosamente próxima da morte. Em geral, a vergonha está associada à culpa, que também vibra baixíssimo, em 30 Hz, forma que ambas se retroalimentam: a pessoa se sente culpada pelo motivo da vergonha e sente vergonha pelo motivo da culpa, em um looping devastador de negatividade que a mantém refém de sua própria vitimização. Conscientemente, a pessoa até vislumbra a possibilidade de mudança, de superação, de apaziguamento da situação, contudo, não tem energia para isso, uma vez que não existem sequer vestígios de amor-próprio, alegria e ou merecimento. A transmutação da culpa e da vergonha pressupõe a aceitação do que aconteceu e o autoperdão, para que seja possível se reconectar com a Fonte e se reconhecer como um cocriador.

48. **VÍCIOS** – Todos os tipos de vícios, dependências e compulsões comprometem gravemente seu poder de cocriador, porque lhe predem na frequência do desejo, que vibra a apenas 125 Hz. Ressalte-se que estamos falando aqui de vícios debilitantes e nocivos, como álcool, drogas, jogo, sexo etc., ou seja, se você é "viciado" em beber água morna com limão todas as manhãs, não é o caso. A boa notícia é que, havendo vontade, decisão e motivação suficiente, é possível aplicar os princípios da cocriação para cocriar a própria libertação do vício e, assim, conseguir elevar sua Frequência Vibracional® para, enfim, cocriar outros sonhos.

49. **VINGANÇA** – A sede por vingança é um sentimento devastador que faz com que a pessoa tire o foco da própria vida e interesses e se dedique a arquitetar planos e cultivar pensamentos sobre como pode prejudicar a quem supostamente lhe lesou. Contudo, como você sabe, todo o mal que se deseja para o outro prejudica sobretudo a você mesmo(a), comprometendo de modo grave sua Frequência Vibracional® com sentimentos de raiva, ódio, intolerância, mágoa, vitimização e arrogância, o que leva tanto à doença do corpo físico e manifestação de problemas na vida como a completa inibição do poder de cocriar sonhos. A superação do desejo de vingança ocorre com a compreensão de que seu encontro com a pessoa que lhe fez mal é uma oportunidade de aprendizado e evolução da consciência e que, portanto, devemos ser gratos pela chance de curar algo em nós mesmos.

50. **VITIMIZAÇÃO** – Todas as vezes em que você pensa ou sente que as coisas ruins que aconteceram ou estão acontecendo na sua vida são culpa de alguém ou de alguma coisa, você está vibrando na vitimização e completamente fora da ressonância da frequência da cocriação. Para sair da vitimização, é preciso passar pela aceitação, pelo perdão e chegar na consciência da autorresponsabilidade, que permite a compreensão de que você é 100% responsável pelo seu fracasso ou sucesso, que é a sua própria Frequência Vibracional® que cria a sua realidade e que, se você não está satisfeito com a realidade vigente, é sua responsabilidade alterar a frequência que você está emanando. Ao assumir a responsabilidade por sua própria vida e reprogramar suas crenças e padrões negativos e limitantes, você acessa a paz, o amor e a harmonia que são a sua essência e que lhe colocam em sintonia com a frequência da abundância infinita do Universo.

Bingos positivos
Pensamentos, sentimentos e comportamentos que você deve procurar adotar e incorporar

1. **100% RESPONSABILIDADE** – A consciência de ser 100% responsável por seu sucesso ou fracasso é o que diferencia uma vítima da realidade de um cocriador de realidade! Ciente de sua responsabilidade, a percepção da culpa e da mágoa se dissolve, a pessoa compreende que nada nem ninguém pode lhe fazer feliz e infeliz; e que existe uma relação de causa e efeito entre sua Frequência Vibracional® e a realidade experimentada.

2. **AÇÃO** – Quem tem conhecimentos superficiais sobre a Lei da Atração acha que basta pensar e fazer afirmações positivas para que seus sonhos se realizem, mas quem é Holo Cocriador® entende que além do trabalho energético de elevar sua Frequência Vibracional® para se alinhar com o potencial desejado, também é preciso agir e fazer o trabalho físico necessário para a cocriação de seus sonhos.

3. **ACEITAÇÃO** – A aceitação consiste no apaziguamento do seu passado, na desistência em remoer o que poderia ou deveria ter sido diferente e na disponibilidade para perdoar, libertando-se a si mesmo, os outros e

todas as situações que já passaram. Na Escala das Emoções de David Hawkins, a aceitação vibra em 350 Hz e é o nível de consciência que separa as vítimas dos cocriadores, pois é apenas a partir da frequência da aceitação que você pode esperar com segurança que seus sonhos realmente serão materializados.

4. **ALEGRIA** – A alegria é a frequência do Criador, por isso também é a frequência das grandes cocriações, das curas inexplicáveis pela medicina convencional e dos milagres.

5. **ALINHAMENTO DOS PENSAMENTOS, SENTIMENTOS E COMPORTAMENTOS** – Para que você emita uma Frequência Vibracional® coerente e consistente, não pode pensar positivo e sentir ou agir negativo; a cocriação do seu sonho pressupõe o alinhamento entre o que você pensa, sente e faz.

6. **AMOR-PRÓPRIO** – O amor-próprio é a condição para você entrar em sintonia com o poder do Criador dentro de você, pois no momento em que você se aceita e se ama incondicionalmente do jeito que é, está também expressando seu amor pelo Criador, uma vez que você e Ele são um só.

7. **ANTECIPAÇÃO DE COMPORTAMENTOS DO NOVO EU** – Sua mudança depende da sua atitude, você não vai acordar um belo dia na pele do seu novo eu "do nada". Para se tornar o seu novo eu, você precisa, pouco a pouco, incorporar os novos comportamentos. Quer dizer, se você está cocriando riqueza, por exemplo, não fique esperando o dinheiro chegar para agir como uma pessoa rica, pois o processo é justamente o contrário: primeiro você age como uma pessoa rica, depois o dinheiro chega. E você pode fazer isso em pequenos comportamentos (não vá se endividar no cartão de crédito, por favor!). Se deseja mudança, você precisa começar a mudar! Então, que tal parar de reclamar do preço do tomate na fila do supermercado ou então se dar ao luxo de tomar um café chique? Não subestime as pequenas ações, pois, juntas, elas produzem grandes resultados.

8. **APRECIAÇÃO** – A apreciação é a arte de contemplar a beleza, a riqueza, a perfeição e toda a abundância que existe ao seu redor sem o sentimento da necessidade. Lembra-se do ensinamento de Joe Vitale – você pode ter tudo que quiser, desde que não precise? A apreciação

permite colocar isso em prática. Por exemplo, quando você aprecia os carrões passando por você no trânsito apenas pela beleza e opulência, sem cobiçar e sem se sentir inferior por não ter um igual, desinteressada e sutilmente, você emite para o Universo a informação de que você gosta de carrões!

9. ATENÇÃO – A capacidade de direcionar a atenção é uma magnífica faculdade da mente que permite direcionar também a energia. Resumidamente, a energia dos pensamentos e sentimentos, canalizada pela atenção, tem o poder de afetar a matéria! E a operação é em mão dupla: do mesmo jeito que você mobiliza a materialização do que você deseja pelo foco da sua atenção, também pode desmaterializar problemas pela remoção da sua atenção.

10. BENEVOLÊNCIA – A benevolência é definida pelo físico Jean-Pierre Garnier Malet com a regra de ouro "não pense dos outros aquilo que você não gostaria que pensassem de você", isto é, a benevolência consiste em não só disciplinar suas ações e reações, mas também seus pensamentos e sentimentos, na compreensão de que estamos todos mergulhados no mesmo oceano infinito de energia e que, portanto, tudo o que emanamos volta para nós.

11. CARIDADE – O conceito e a prática da caridade transcendem imensamente a mera doação de roupas e brinquedos usados que não lhe servem mais por ocasião do Natal, Dia das Crianças ou outra data festiva. A caridade, em essência, consiste no reconhecimento das necessidades dos outros, na compaixão e no impulso de ajudar, e, portanto, não se resume à doação impessoal de dinheiro ou bens materiais, mas também a doação de paciência, tolerância, amor, conhecimento, compreensão, alegria etc. Compartilhar o que tem e contribuir para que os outros tenham uma vida melhor (ou pelo menos um dia melhor), gera uma sensação de bem-estar, pois provoca descargas de dopamina, o que eleva instantaneamente a sua Frequência Vibracional®, de modo que tudo o que você faz pelo outro, em última instância, está fazendo por si mesmo.

12. COMEMORAÇÃO DE RESULTADOS PEQUENOS E PARCIAIS – Muitas vezes, uma grande conquista é formada por pequenas vitórias parciais que acontecem em sequência. Para que você se mantenha

no fluxo da cocriação, fique atento aos pequenos resultados que vão surgindo no caminho do grande resultado que você deseja e comemore-os fervorosamente, para que o Universo entenda que é isso que você quer. Por exemplo, se você está cocriando emagrecer 20 quilos, comemore cada quilo eliminado com o mesmo entusiasmo que você comemorará quando chegar ao seu peso ideal; se você está cocriando dinheiro, festeje cada centavo que você conquistar como se fosse 1 milhão, mesmo uma moedinha que você encontrar na calçada, mesmo um desconto que você receber em uma loja. O Universo não captura a informação sobre quantidades ou valores, apenas o seu sentimento, isso significa que a vibração da alegria e entusiasmo por eliminar 1 quilo ou ganhar 1 real é a mesma que sintoniza a eliminação de 20 quilos ou a cocriação de 1 milhão de reais.

13. **CONEXÃO COM A NATUREZA** – A mera contemplação da natureza, como sentar-se em um banco no parque e observar a abundância das folhas das árvores ou sentar-se diante do mar e observar a imensidão da água, promove, em nível inconsciente, a neutralização de sua percepção de escassez e aumenta seu sentimento de abundância, fazendo com que você entre em sintonia com a magnitude do Universo.

14. **CONEXÃO COM O CRIADOR** – Se você é um cocriador é porque não cria sozinho, cria ao se conectar com sua Centelha Divina, que é o Criador, dentro de você. Então, independentemente da sua religião ou orientação espiritual, é fundamental que encontre alguma maneira de nutrir essa conexão. Dica: você se conecta com sua expressão divina quando consegue neutralizar os julgamentos, reclamações, justificativas e necessidades urgentes do seu ego.

15. **CONEXÃO COM O MOMENTO PRESENTE** – Para abrir espaço para o novo se manifestar na sua vida na forma do seu sonho cocriado, você precisa se desassociar das suas memórias de dor do passado e das suas preocupações com o futuro, mantendo-se no momento presente. Lembre-se de que para o Universo não existe passado nem futuro, portanto, as cocriações só podem acontecer no agora!

16. **CONTEMPLAÇÃO DA ABUNDÂNCIA À SUA VOLTA** – Não é porque você não pode ter ou fazer alguma coisa neste momento

que você vai permitir que seu ego lhe torne uma pessoa ranzinza, incapaz de admirar a beleza, saúde, riqueza, prosperidade e todas as formas de abundância à sua volta. Isso é necessário para despertar em você o sentimento de que você faz parte dessa abundância, independentemente de poder comprar ou experienciar o que você vê. Habitue-se a contemplar a abundância de produtos nos supermercados e shoppings, a abundância de carros incríveis na rua, a abundância de casais felizes, a abundância de corpos belos e saudáveis etc. Impregnando sua mente com sentimentos de apreciação, admiração e contemplação do belo, do próspero, do saudável, do feliz, você entra na sintonia, emitindo para o Universo a informação de que ama essas coisas e deseja algo semelhante, mas sem o desespero de precisar urgentemente.

17. **CUIDAR DA CRIANÇA FERIDA** – "Criança ferida" é uma expressão do vocabulário da Psicologia para se referir às memórias de dor relacionadas com as experiências que você teve quando criança e que registrou em uma perspectiva negativa. A sua criança ferida, que muitas vezes se expressa como crenças limitantes, influencia fortemente suas escolhas e padrões de comportamento, comprometendo seu desempenho e realização pessoal. O cuidado e a cura da criança ferida demanda aceitação do passado e perdão dos "atores", o que pode ser feito com a aplicação da Técnica Hertz®. A transmutação das emoções negativas da criança ferida vai permitir elevar sua Frequência Vibracional® para fechar os ciclos do passado e, finalmente, entrar em ressonância com a realização dos seus sonhos.

18. **DESAPEGUE DO CONTROLE** – A necessidade de prever e controlar tudo o que lhe acontece vem do seu ego e é um mecanismo de sobrevivência pelo qual você se mantém apegado ao que é familiar e previsível. Agindo assim, você não consegue sintonizar novos potenciais e fica recriando a mesma realidade desagradável de sempre. Infelizmente, não tem como sua mente limitada prever todas as infinitas possibilidades pelas quais seu sonho pode se realizar. Então, se até agora seu intelecto controlador falhou em promover a realização dos seus sonhos, chegou o momento de apenas continuar trabalhando, fazendo sua parte, mas sem querer prever ou determinar como seu sonho vai se manifestar,

permitindo que o Universo orquestre tudo para você, para além da meia dúzia de possibilidades sobre as quais você consegue pensar!

19. **DIVERSÃO** – A cocriação do seu sonho é uma jornada, um processo. Divertir-se ao longo da jornada é o pressuposto para chegar ao seu destino com sucesso, isto é, efetivamente manifestar seu sonho no plano da matéria. O processo de cocriação precisa ser leve e divertido; não existe cocriação para quem tem pressa ou desespero e considera a prática das técnicas como um fardo ou obrigação.

20. **DÍZIMO** – A par de qualquer viés religioso ou institucional que qualifica o dízimo como uma obrigação, a sua prática consiste em uma explicação quântica e energética do dito popular "é dando que se recebe" pois, levando em consideração que só doa quem é abundante, quando você se dispõe a doar ao próximo, emite para o Universo uma vibração de abundância e prosperidade e, logicamente, recebe mais do mesmo.

21. **ELEVAÇÃO E MANUTENÇÃO DA FREQUÊNCIA VIBRACIONAL®** – A única maneira de você se tornar o correspondente vibracional do seu sonho é dedicando-se diariamente para elevar e sustentar sua Frequência Vibracional®. Para tal, é indispensável a prática da auto-observação para perceber quando estiver "escorregando" no piloto automático para as frequências de baixa vibração e aplicar a Técnica Hertz® para inverter a polaridade.

22. **EMOSENTIZAÇÃO®** – Esse é um termo que criei para fazer referência ao processo de adicionar sentimentos aos seus pensamentos e intenções de cocriar os desejos. Emosentizar significa incorporar antecipadamente o sentimento que você teria caso seu sonho já fosse realidade na matéria, de modo a potencializar a vibração emitida pelo seu campo eletromagnético, usando o poder do seu coração para provocar o colapso da função de onda.

23. **ENTUSIASMO** – Ao lado da alegria e da diversão, o entusiasmo é uma condição essencial para a cocriação do seu sonho, pois é ele que o conecta com o momento presente. Portanto, elimine o pensamento de "serei feliz quando..."; seja feliz agora, independentemente das condições em que você se encontra e o Universo providenciará maneiras de potencializar e expandir sua felicidade!

24. **ESTABELECER METAS** – Para que seu sonho se realize, não basta o movimento energético dos seus pensamentos e sentimentos, você precisa agir e se movimentar fisicamente também. Para orientar sua ação, você deve estabelecer metas, de modo a definir quais são as etapas a se executar na intenção de concretizar seus objetivos.

25. **FÉ** – Ter fé significa acreditar com total convicção na existência de algo que ainda não pode ser percebido com seus sentidos físicos. A fé é o ingrediente elementar das cocriações, pois ela tem uma frequência altíssima que possibilita a manifestação dos milagres na conexão direta com o poder do Criador em ação. A fé dissolve o medo, a incerteza, a insegurança e a ansiedade, garantido o resultado desejado. Inclusive, a fé é apontada por Napoleon Hill como um dos princípios do sucesso; ele afirma que, quando seus pensamentos, sentimentos e comportamentos são combinados com uma fé inabalável, seu desejo começa, imediatamente, a se traduzir em seu equivalente físico.

26. **FESTEJAR O SUCESSO DO OUTRO** – Lembra que somos todos parte de um único infinito campo eletromagnético universal e que, portanto, a individualidade é uma ilusão, o outro "não existe"? Pois, quando você é capaz de sinceramente se alegrar e comemorar o sucesso de outra pessoa que já conquistou a cocriação de algo que você também deseja, o Universo "entende" que você também ama aquilo e, como está emitindo a vibração certa, será inevitável que você tenha a mesma conquista.

27. **GENEROSIDADE** – A generosidade consiste na capacidade de compartilhar com os outros aquilo que você tem: dinheiro, alimento, tempo, conhecimento, amor, alegria etc. A generosidade é um presente que podemos dar ao mundo todos os dias e que nos leva à abundância pela superação do sentimento de que não há o suficiente para todos. Praticar a generosidade, mesmo quando você está passando por uma situação de carência ou escassez, vai elevar sua Frequência Vibracional® e o colocar na sintonia da prosperidade e da abundância!

28. **GRATIDÃO ANTECIPADA** – A gratidão antecipada é o "segredo" ensinado por Gregg Braden em seu livro *Segredos de um modo antigo de rezar*, que consiste, resumidamente, em substituir os pedidos e súplicas de suas orações por agradecimento antecipado expresso pelo sentimento de que seu desejo já é real. A gratidão antecipada é a força

criativa mais poderosa do Universo, porque elimina a dúvida e o medo, potencializando sua fé e permitindo vibrar na alegria agora, em vez de ficar esperando que algo aconteça.

29. **HONESTIDADE** – No processo de cocriação do sonho, você dá um passo para trás todas as vezes em que "dá um jeitinho" para contornar alguma situação ou quando pratica pequenos trambiques que "não fazem mal para ninguém". Por exemplo, se você está cocriando riqueza, caso você compre um produto pirata ou contrate um "gato net", está dando um tiro no pé, vibrando na escassez. Entenda que a elevação do seu nível de consciência e, consequentemente, a elevação da sua Frequência Vibracional® pressupõem o aprimoramento do espírito pelo cultivo e prática da nobreza moral.

30. **HONRAR PAI E MÃE** – Enquanto o Criador é a Fonte do seu espírito e da sua consciência, seus pais biológicos são a fonte do seu corpo físico, de modo que a energia que você precisa para seguir em frente e se realizar na vida depende não somente da sua conexão com o Criador, mas da sua harmonização e apaziguamento com sua fonte física. Portanto, mesmo que seus pais biológicos não estejam mais vivos, morem longe ou se você nunca os conheceu, é fundamental que você manifeste sua gratidão a eles por terem dito sim para a sua vida. Mesmo que eles ou um deles não tenha se portado bem com você, trabalhe-se para sair do julgamento, para aceitar o que aconteceu e para compreender que a maneira como seus pais agiram não foi uma ofensa intencional, mas a mera expressão do nível de consciência deles. (OBS.: honrar pai e mãe e ser grato a eles não significa nem pressupõe conviver com eles, é um movimento interno seu!)

31. **INTENÇÃO** – Sua intenção está diretamente relacionada com seus sentimentos e, por isso, é um fator determinante na constituição da sua Frequência Vibracional®, isto é, da informação energética que você emana para o Universo. Por exemplo, o fato de juntar dinheiro em uma poupança é algo neutro, o que vai determinar a mensagem que você transmite para o Universo com esse comportamento é a sua intenção: se você guarda dinheiro na intenção de estar prevenido para alguma emergência, como um problema de saúde, sua intenção fará com que você cocrie um problema para concretizá-la; mas se você guarda

dinheiro com a intenção de fazer uma viagem incrível, então, sua intenção provocará a cocriação das condições perfeitas para concretizá-la! Portanto, avalie as intenções que estão atrás dos seus pensamentos, sentimentos e comportamentos, de modo a alinhá-las com a cocriação do seu sonho, e não com a cocriação de problemas!

32. **JEJUM ALIMENTAR**[9] – O jejum alimentar é uma maneira muito antiga de elevação da consciência e conexão espiritual e está presente em várias religiões e filosofias esotéricas. Inclusive, conforme a Bíblia, a iluminação de Jesus ocorreu em um período em que ele praticou um jejum radical – quarenta dias (contraindicado para não avatares!). A prática do jejum promove a autodisciplina, o autocontrole, o desenvolvimento da vontade, o fortalecimento da intuição, a superação das limitações do corpo físico e dos desejos do ego. Praticar a Técnica Hertz®, meditação, visualização e outras técnicas de cocriação em jejum potencializa os efeitos positivos.

33. **JEJUM DE CONTEÚDOS CONTRÁRIOS AO SEU SONHO** – De uma maneira geral, você deve evitar o consumo de conteúdos tóxicos que comprometem a elevação da sua Frequência Vibracional®, mas prioritariamente deve evitar acessar conteúdos e informações visuais e/ou auditivas que sejam contrárias ao que você está cocriando, afinal, você não deseja confundir sua mente inconsciente. Por exemplo, se está cocriando saúde, é fundamental que você se abstenha de ler, pesquisar e conversar sobre doença, morte, sequelas, agravamentos etc., em especial sobre a doença para a qual você está buscando cura.

34. **JEJUM DE CONTEÚDOS TÓXICOS** – Conteúdos tóxicos são aqueles conteúdos (livros, músicas, filmes, reportagens, videogames, posts em redes sociais etc.) que não só não contribuem para a elevação da sua Frequência Vibracional® como causam uma redução significativa dela, comprometendo seu poder de cocriador, mesmo que você esteja se dedicando nos estudos e nas técnicas. Conteúdos tóxicos, como filmes de terror ou de guerra, jogos violentos, notícias de crimes e tragédias, músicas agressivas, pornografia, fofocas e similares, devem ser

---

[9] Se você tem diabetes ou alguma outra condição física especial, consulte seu médico antes de praticar qualquer tipo de jejum alimentar.

fortemente evitados. Entenda que tudo que você vê, lê e ouve fica impregnado na sua mente inconsciente, que não consegue diferenciar realidade de ficção.

35. **JEJUM DE RECLAMAÇÃO** – Sabe qual é a polaridade contrária da reclamação? É a gratidão! Portanto, quando se compromete com sua prática de auto-observação para inibir qualquer expressão de reclamação, substituindo-a logo pela expressão da gratidão, você eleva e sustenta sua Frequência Vibracional®. Entenda, contudo, que fazer jejum de reclamação não significa que você vai se tornar uma pessoa totalmente passiva, à mercê das adversidades da vida. A proposta é se abster de reclamar, mas não de agir de maneira consciente quando necessário. Por exemplo, você vai a um restaurante e o garçom traz seu pedido errado; em uma situação assim, é claro que você pode educada e gentilmente pedir o que deseja, porém, o que você não vai fazer é entrar na vibração da reclamação e dedicar minutos, ou talvez horas, para reclamar e ser vítima do restaurante, isto é, o erro no seu pedido não pode virar o assunto da mesa. Em suma, você vai deixar de reclamar dos problemas e resolvê-los quando for possível, ou aceitá-los quando não for.

36. **LIBERE ESPAÇO PARA O NOVO** – Se você está cocriando algo novo na sua vida, vai precisar abrir espaço para isso, tanto físico, quanto não físico. Para abrir espaço físico, convém que você desapegue dos objetos que tem acumulados na sua casa, coisas quebradas, que não funcionam, que você não usa etc. Já o espaço não físico, você libera ao desapegar de mágoas, rancores e ressentimentos através da aceitação e do perdão; você também libera espaço ao desapegar de padrões de pensamentos e sentimentos incongruentes com o novo eu que está se tornando.

37. **LIBIDO** – A libido, também chamada de energia sexual, é a energia da criação e da sustentação de tudo o que existe, de todos os seres e todas as galáxias. Obviamente, se a libido é a energia da criação, ela é fundamental nos processos de cocriação da realidade, tanto que Napoleon Hill incluiu a transmutação da energia sexual na sua lista de princípios da riqueza, ressaltando que essa forma de energia é capaz de estimular a imaginação, a coragem, a força de vontade, a persistência e é o mais poderoso estímulo que leva a pessoa a agir para

conquistar seus objetivos, tendo o poder de transmutar mediocridade em genialidade.

38. **LIMPEZA DE CRENÇAS** – Limpar suas crenças é uma prioridade no seu processo de cocriação uma vez que você cocria sua realidade em conformidade com aquilo que inconscientemente considera verdadeiro e possível. Assim, se você perceber que tem crenças negativas ou limitantes, é indispensável que faça o processo de reprogramação com a prática da Técnica Hertz®.

39. **MERECIMENTO** – Acreditar sinceramente que merece o sonho a cuja cocriação está se dedicando é um elemento essencial. Muita gente boa se dedica a elevar sua Frequência Vibracional®, parar de reclamar, perdoar, ser mais gentil, praticar visualizações e meditações, mas no fim das contas acaba não cocriando o que deseja porque, lá no fundo, inconscientemente, tem alguma crença limitante que gera a percepção de não merecimento. É preciso, portanto, colocar o autoconhecimento em prática para avaliar qual é o seu nível de merecimento em relação à cocriação do seu sonho, para isso você pode usar a HoloAfirmação® *por que eu mereço a realização do meu sonho?* e, então, permitir que sua consciência lhe mostre a resposta. O merecimento anda de mãos dadas com o amor-próprio, de modo que uma pessoa que não se ama e não valida a Centelha Divina que habita seu ser também não vai acreditar visceralmente que merece a cocriação do seu sonho, a par de suas intenções racionais.

40. **OBJETIVO ESPECÍFICO** – Para que o Universo consiga entregar exatamente o que deseja, você precisa ser bastante específico ao expressar o sonho que quer cocriar, considerando o máximo possível de detalhes. Em uma metáfora, você precisa "passar o orçamento do seu sonho" para o Universo, dizendo o que quer, quanto quer e outras informações que forem relevantes. Por exemplo, se está cocriando ganhar na loteria, você precisa definir um valor que deseja, pois se intencionar apenas "ganhar na loteria", pode ser que o Universo atenda o pedido com um prêmio de 5 reais, e você não poderá se queixar!

41. **PAGUE SUAS CONTAS** – Especialmente para quem está cocriando prosperidade financeira, pagar suas contas e quitar suas dívidas deve ser uma prioridade, pois é impossível prosperar na qualidade de devedor inadimplente. Ainda que não seja sua intenção ou que você não perceba

conscientemente, dever e não pagar faz com que você vibre na desonestidade, na corrupção e na injustiça, o que o impede de acessar os níveis superiores da Escala das Emoções. Se você tem dívidas e não tem como pagá-las agora, dê pelo menos uma satisfação a seus credores e firme sua intenção de honrar seu compromisso. Contudo, há uma sutileza muito importante a que você deve ficar atento: nunca foque suas técnicas de cocriação no objetivo "pagar dívidas", pois isso provoca a cocriação de mais dívidas! Em vez disso, foque na prosperidade e na abundância de dinheiro ou até mesmo em algum bem material que você deseje, como uma casa ou um carro, sendo que quando o dinheiro começar a chegar, sua prioridade será pagar essas dívidas.

42. **PERDÃO** – O perdão é o sentimento e a atitude mais libertadora que existe, é a chave que lhe permite passar pelo portal que separa vítimas impotentes de cocriadores poderosos. O ato de perdoar e liberar a quem você julga que ofendeu dissolve complemente pensamentos e sentimentos de raiva, vitimização, ódio, vingança e todo tipo de sentimento negativo que estava sugando a energia do seu campo eletromagnético e sustentando sua conexão com a tal pessoa. Libertando a pessoa, você libera antes de tudo a si mesmo, eliminando esses sentimentos nefastos que estavam lhe impedindo de acessar a frequência da cocriação. Juntamente com a gratidão, o perdão é uma frequência poderosíssima, ressonante com a frequência da aceitação, da alegria, da paz e do amor incondicional e, por isso, o perdão se coloca em conexão direta com a Fonte.

APELO À LEI DO PERDÃO ATRAVÉS DA CHAMA VIOLETA

Em nome da Presença Divina EU SOU que habita em meu coração, repleto de amor, reverente e agradecido, saúdo a Vós, Mestre Ascensionado Saint Germain e Pórtia – Deusa da Oportunidade e Justiça; a Vós Arcanjo Ezequiel e Ametista; a Vós Elohim Arcturus e Diana; Anjos, Seres e Divindades da Sétima Esfera de Luz.

Enviai a Vossa Chama Violeta que conduz o Poder Divino da Transmutação para, neste momento, consumir tudo o que esteja impedindo a expansão de minha Luz Interior.

Enviai a Luz Purificadora para que transpasse os meus corpos físico, etérico, mental e emocional, levando pureza, vitalidade, energia e perfeição a cada célula que os compõem. (visualizar-se no centro de e um resplandecente Pilar de Luz Violeta)

Eu Sou a Chama Violeta que consome as impurezas de meu ser. (repetir três vezes)

Que o Fogo Violeta atue intensamente em meu DNA, libertando-me de heranças genéticas imperfeitas, transmutando-as em Luz, que os meus antepassados e os meus descendentes sejam, também, abençoados pelo poder purificador do Fogo Sagrado.

Em nome da Presença Divina EU SOU que me habita, invoco a Chama da Misericórdia para que dissolva o meu fardo cármico. Apelo à Lei do Perdão para todo o erro que cometi, consciente ou inconscientemente, nesta e em vidas passadas.

Que a Chama Violeta retroceda, agora, no tempo e no espaço, buscando os momentos em que gerei energias densas para transmutá-las em Luz. Que seus efeitos sejam dissolvidos e, assim, sejam consumidas as causas de todas as minhas limitações.

Apelo para que as bênçãos por mim recebidas sejam, em nome da Misericórdia Divina, conduzidas a todos os que evoluem na Terra e ao mundo dos desencarnados, levando pureza, liberdade e perfeição a todos os seres, sem distinção. (Visualizar a Terra transpassada pela Luz Violeta)

Em nome e pelo Poder de Deus EU SOU, que sejam dissolvidas todas as estruturas que mantêm a energia antievolutiva no planeta; toda a estrutura de corrupção, tudo o que sustenta vícios de qualquer espécie e tudo o que aprisiona a humanidade.

Planeta que recebe Luz, planeta que emite Luz, integrando-se à alta gama vibratória do Sistema de Alfa e Ômega. (repetir três vezes)

Afirmo que assim é, em nome de Deus Eu Sou.

Reverente, envio aos Grandiosos Seres da Sétima Esfera de Luz a minha imensa gratidão pelas bênçãos liberadas em resposta ao meu apelo.

43. **PROPÓSITO ALÉM DO EGO** – Você potencializa a probabilidade do seu desejo se realizar sempre que faz uma reflexão para identificar se realmente é um desejo que vem do seu coração e do seu espírito ou se é um mero capricho do ego. Os sonhos que têm um propósito além do ego são aqueles em que você consegue identificar elementos que vão contribuir para um mundo melhor, e você deve, em suas visualizações, incluir esses elementos, isto é, os benefícios que a realização do sonho trará para a coletividade. Por exemplo, se você quer expandir sua

empresa, foque para além do seu lucro, considerando a quantidade de novos empregos que vai gerar. Esteja sempre ciente de que a elevação do nível de consciência e Frequência Vibracional® tem por objetivo principal a evolução espiritual e o aumento da vibração do Planeta e que a cocriação do seu sonho é um mero e adorável efeito colateral.

44. **SEJA A FONTE DAQUILO QUE VOCÊ DESEJA RECEBER** – O Universo não trabalha fiado, portanto, você precisa encontrar uma maneira de, antecipadamente, emanar a frequência correspondente ao que você deseja receber. Não existe tal coisa como "quando eu for rico, eu serei feliz", o Universo não vai lhe fazer rico para você ser feliz; você precisa ser feliz para alcançar a riqueza que deseja. O Universo é um espelho de proporções infinitas que sempre projeta de volta circunstâncias equivalentes à vibração que você emite. Então, para cocriar o seu sonho, você deve se tornar a fonte que emite a frequência elevada o suficiente para sintonizá-lo na Matriz Holográfica® e provocar o colapso da função de onda.

45. **SER PARA TER** – Essas três pequenas palavrinhas resumem todo o processo de cocriação da realidade e trazem uma mensagem muito simples, porém preciosa: para ter tudo o que deseja, você precisa ser a pessoa que emana a vibração correspondente ao que deseja – se quer ter saúde, precisa ser a vibração da saúde; se quer ter riqueza, precisa ser a vibração da riqueza. A regra é infalível, e a prova disso é a realidade desagradável que você vem manifestando com base na frequência de vitimização e escassez que estava, inconscientemente, emitindo. Mas, agora que sabe, use essa regra conscientemente a seu favor! Se sua realidade material não oferece condições de ser antecipadamente o que deseja ter, você sempre tem à sua disposição o recurso de mergulhar na sua realidade imaginária para experimentar ser tudo o que você quiser através da Visualização Holográfica.

46. **SERVIÇO AMOROSO À HUMANIDADE** – A prática de um trabalho voluntário que lhe permita se colocar à serviço da humanidade, doando sua presença, amor, alegria, tempo e conhecimento, é uma das mais lindas maneiras de elevar a sua Frequência Vibracional®. O voluntariado também lhe permite relativizar seus problemas e perceber o quanto você já é abundante, despertando todo o potencial da gratidão que eleva sua vibração a alturas estratosféricas!

47. **SEXUALIDADE CONSCIENTE** – Pode até parecer difícil de acreditar em um primeiro momento, mas a maneira como você vivencia sua sexualidade influencia no seu poder de cocriação. No nível sutil, uma relação sexual é uma troca energética, portanto, é preciso muito cuidado e conhecer bem a(s) pessoa(s) com quem você realiza essa troca, pois você pode estar fazendo tudo certinho – limpando suas crenças, praticando as técnicas e agindo para a cocriação do seu sonho –, mas se você estiver constantemente trocando sua energia com pessoas de baixa vibração, sua Frequência Vibracional® pode ficar gravemente comprometida. Sem qualquer viés moralista, em uma perspectiva puramente energética, uma vida sexual equilibrada, de preferência com um parceiro fixo, lhe permite ampliar seu potencial de criatividade.

48. **SOLTAR** – Soltar seu sonho é a etapa final do processo de cocriação consciente, é o passo indispensável que antecede a manifestação do seu desejo. Soltar significa eliminar toda e qualquer ansiedade, dúvida ou pressa para que o sonho se realize. Mas atenção: soltar não significa parar de executar as ações físicas necessárias para cocriação acontecer. Se você, por exemplo, deseja aumentar a clientela do seu negócio, vai precisar se manter dedicado ao seu trabalho, caprichando no atendimento aos clientes que você já tem e promovendo seu serviço ou produto; o que você não pode fazer é ficar contabilizando os clientes e se sentindo ansioso porque as estatísticas não estão melhorando no ritmo e no modo que seu ego impôs. O ato de soltar pressupõe confiança, fé e certeza de que seu sonho está a caminho e, exatamente por isso, pressupõe também a manutenção da ação!

49. **SUA ENERGIA FLUI PARA ONDE SUA ATENÇÃO ESTÁ** – Aquelas pessoas que duvidam de seu poder de cocriador e afirmam que "cocriam ao contrário" deveriam justamente dar atenção a esse princípio elementar e verificar para onde estão direcionando sua energia e atenção. Você já sabe, mas só saber não adianta, por isso, vou repetir até você conseguir por em prática: tudo aquilo sobre o que você coloca sua atenção repetidamente através dos seus pensamentos, apresenta-se na sua experiência física. A orientação é simples e clara: existem coisas na sua vida das quais você não gosta? Não dê atenção para elas! Existem coisas na sua vida que você ama ou coisas que ainda não estão

da sua vida, mas que você amaria experimentar? Direcione toda sua atenção para elas!

50. **VISUALIZAÇÃO HOLOGRÁFICA** – Essa é com certeza a mais incrível de todas as faculdades mentais humanas e a mais potente ferramenta de cocriação. A prática da visualização, com seus elementos técnicos estratégicos, permite que você arquitete seus sonhos e os experimente antecipadamente em todas as suas emoções e sensações. Na medida em que você é abduzido por suas experiências holográficas nas quais vivencia seu sonho realizado, você eleva sua Frequência Vibracional® às alturas, e suas imagens comunicam seus desejos diretamente à sua mente inconsciente e à Mente Superior.

Aponte a câmera do seu celular para o QR Code abaixo e tenha acesso a um presente especial que preparei para você!

http://cocriadordarealidade.com.br/presentes

Capítulo 6
Holo Cocriação® em dez passos

Para finalizar, vou resumir e sistematizar tudo o que você aprendeu até aqui. Então, sendo bastante objetiva, apresento os dez passos da Holo Cocriação® de Sonhos, que são:

Passo 1 – Defina seu sonho

O primeiro passo é você saber o que quer. Isso pode parecer óbvio, mas a verdade é que tem muita gente que, por não saber exatamente o que deseja, mantém-se em uma eterna vibração de insatisfação, apenas sentindo que a realidade vigente não está boa, mas sem ter a menor noção de quais mudanças gostaria de experimentar.

Algumas pessoas já têm alguma noção do que querem, entretanto, nunca se deram ao trabalho de focar os detalhes e as particularidades do sonho. Por exemplo, a pessoa deseja uma casa nova, mas nunca parou para desenhar sua casa, imaginar, visualizar, projetar, pensar nos detalhes sobre a localização, área construída, disposição dos cômodos, cores, acabamentos, decoração etc.

Se esse não for o seu caso, e você já tiver a imagem do seu sonho em todos os seus mínimos detalhes, pode se adiantar para o passo seguinte, mas se você ainda não tiver com seu sonho 100% definido, tenho um exercício para ajudar:

COCRIADOR DA REALIDADE

EXERCÍCIO

IDENTIFICAÇÃO DE SONHOS

Anote no seu caderno:

- O que você não quer;
- O que você quer;
- O que você escolhe;
- Os detalhes daquilo que você escolheu;
- Quais os sentimentos do seu desejo realizado.

Exemplo:

- O que você não quer: Eu não quero mais andar de ônibus;
- O que você quer: Eu quero um carro (ou bike, moto, skate, helicóptero etc.);
- O que você escolhe: Eu escolho ter um carro;
- Os detalhes: Eu escolho ter um Hyundai HB20 sedan 1.0, 0 km, na cor prata, com ar-condicionado, direção elétrica, travas e vidros elétricos, computador de bordo, banco do motorista com regulagem de altura, retrovisores elétricos, chave com telecomando, central multimídia com USB para carregamento e alarme.
- Quais os sentimentos do seu desejo realizado: gratidão, alegria, prosperidade, abundância, riqueza, prosperidade e liberdade.

Passo 2 – Verifique o que você pensa e sente sobre seu sonho

Com seu lindo sonho bem arquitetado e definido nos mínimos detalhes, agora é hora de checar se você tem crenças limitantes que vão impedir a cocriação mesmo com você se dedicando na prática de técnicas de visualização ou outras técnicas de manifestação.

Se sua mente e seu coração não apresentarem nenhuma objeção e seu sentimento for de *"sim, meu sonho é totalmente possível, eu o mereço 1000% e tenho certeza de que ele já é meu e logo se apresentará na minha realidade material"*, ou seja, se você não tiver a menor sombra de dúvida de que não só você merece como o objeto do seu desejo já existe e já é real, então, você pode pular para o passo 4.

Mas se você tiver percebido algum sinal de resistência, objeção, dúvida, não merecimento, insegurança, medo ou qualquer outro indício de impossibilidade de realização, então você é uma pessoa normal que tem crenças limitantes para limpar.

No exemplo da cocriação do carro, a presença de crenças é indicada por pensamentos como:

- Ninguém na minha família tem carro;
- Vão me achar um exibido(a) se eu comprar um carro;
- Do que adianta ter um carro se eu não terei dinheiro para o combustível?;
- O IPVA deve ser um absurdo; o seguro nem quero pensar;
- Carro vive dando problema e a manutenção não é barata;
- Mas eu nem tenho carta de motorista ainda;
- Mas eu nem sei dirigir;
- Dirigir é perigoso demais;
- Quem anda de carro corre mais riscos de ser assaltado;
- Meu marido / minha esposa vai achar que vou usar o carro para me encontrar com algum amante, isso vai acabar com meu casamento;
- Quem me vir de carro, vai pensar que eu sou rico(a);
- Se eu comprar um carro, meu filho vai pegar escondido e sair para fazer farra;
- E se baterem em mim? E se eu bater em alguém?;
- Ah, meu Deus, e se eu acabar matando alguém no trânsito? E se eu morrer em um acidente?

É até engraçado, não é? E essa lista de objeções poderia continuar indefinidamente, porque quando a mente tem crenças limitantes, ela é extremamente criativa, vai resistir, espernear e se esforçar para apresentar os melhores argumentos do mundo para convencer você a não tentar nada novo e continuar do jeito que está.

> **EXERCÍCIO**
>
> **O QUE VOCÊ PENSA SOBRE O SEU SONHO?**
>
> Pergunte para si mesmo e anote suas respostas:
>
> - Meu sonho é possível?
> - Uma pessoa como eu tem condições de realizar este sonho?
> - Eu mereço a realização deste sonho?
> - O que me impede de realizar este sonho agora?
> - O que eu ganho não realizando este sonho?
> - O que eu perco realizando este sonho?

Passo 3 – Limpe suas crenças

Feito o exercício para a identificação do que pensa e como se sente em relação à possibilidade de realizar o seu sonho, o próximo passo é reprogramar crenças, pensamentos, sentimentos e comportamentos que não são congruentes com a realidade que você deseja cocriar.

Nesta etapa, não há nada melhor do que a Técnica Hertz®. Ela é a ferramenta mais eficaz que existe, porque opera em todos os níveis do ser para liberar as memórias de dor, que são as raízes das crenças limitantes. Além disso, com a prática da Técnica Hertz®, ao mesmo tempo em que desprograma suas crenças, você também reprograma novas crenças com a afirmação das polaridades contrárias e eleva sua Frequência Vibracional®, cultivando as emoções de frequência superior como alegria, gratidão, amor e abundância; visualiza e experimenta os sentimentos da sua mudança e do seu sonho realizado e, especialmente, firma sua conexão com a Fonte Criadora, com a Matriz Holográfica® das infinitas possibilidades.

Por trabalhar no nível energético sutil, sobretudo pelo *tapping* nos pontos do EFT combinados com os comandos do Ho'oponopono Quântico, a Técnica Hertz® funciona ainda que você não acredite no poder dela. Contudo, se você desejar potencializar exponencialmente os efeitos da técnica, é importante que se permita acreditar, ter fé, sentir e vivenciar cada parte da prática, sem julgamentos, sem tentar controlar, sem analisar, sem resistência, sem questionar, ignorando as eventuais conversas internas sabotadoras.

HOLO COCRIAÇÃO® EM DEZ PASSOS

Se perceber que tem a crença de que a prática da Técnica Hertz® não vai funcionar para você (sim, isso é uma crença, uma vez que ela funciona para mim e para milhares de alunos, por que ela não funcionaria para você?) e se surgirem pensamentos e sentimentos de dúvida, insegurança, preguiça, procrastinação, resistência e controle, você pode se posicionar acima de sua crença e usar a própria técnica para limpar esses pensamentos e sentimentos sabotadores, usando o comando "está cancelado, cancelado, cancelado" e afirmando o "Eu Sou da polaridade positiva contrária".

MEDITAÇÃO PARA DESPROGRAMAÇÃO E REPROGRAMAÇÃO DE CRENÇAS

Preparação
Anote, em um papel, sua crença mais significativa, aquela que você considera ser a principal e cuja desprogramação é mais urgente;
Anote também os principais pensamentos, sentimentos e comportamentos que expressam essa crença;
Anote a polaridade contrária dessa crença e as polaridades contrárias dos pensamentos, sentimentos e comportamentos associados a ela;
Personalize o roteiro abaixo e grave-o com sua própria voz;
Faça esta meditação logo após a prática da Técnica Hertz® durante vinte e um dias.

Roteiro
Sente-se, acomode-se;
Feche os olhos;
Respire fundo três vezes na intenção de relaxar o corpo e acalmar a mente;

Agora inspire lentamente contando até sete;
Segure os pulmões cheios de ar contando até sete;
Exale devagar contando até sete;
Mantenha os pulmões vazios contando até sete;
Repita esse ciclo rítmico de respiração por mais nove vezes;
Fique em silêncio e apenas respire.
(quatro minutos e trinta segundos de silêncio)

Agora, qual é a crença que você deseja desprogramar?
Aquela que o limita, que o está impedindo viver a liberdade financeira que você tanto quer?

E quais são os pensamentos, os sentimentos e os comportamentos associados a essa crença?
Visualize uma cena que ilustre essa crença em ação;
Eu sei, é desagradável..., mas encare sua crença; tire-a das profundezas do seu inconsciente, exponha-a na luz da sua consciência;
Agora coloque tudo em uma bolha de luz dourada – tudo... a crença, os pensamentos, os sentimentos e os comportamentos, a cena inteira;
Visualize essa bolha se afastando de você, subindo em direção ao céu;
A bolha está levando a crença para bem longe de você;
Está tão longe que você agora só consegue ver um pontinho na imensidão infinita do Universo;
Então, ela se desmaterializa completamente;
Ela não faz mais parte de você e nem interfere mais na sua vida;
Você devolveu aquela crença e tudo associado a ela para o domínio das possibilidades;

Agora que você liberou espaço no seu inconsciente, qual é a nova crença empoderadora que você deseja programar?
E quais são os pensamentos, os sentimentos e os comportamentos associados a essa crença?
Visualize uma cena que ilustre essa crença empoderadora em ação;
Capriche nos detalhes – use todos os seus sentidos...
O que você vê? O que você ouve?
Quais são as texturas? Os sabores? Os cheiros?
Quais são os seus novos pensamentos?
Quais são os seus novos comportamentos?
E quais são os seus novos sentimentos e emoções?
Como você se sente agora?
Você merece!
(trinta segundos de silêncio)

Mantenha, sustente a cena na sua mente;
Apaixone-se por sua criação; abençoe a sua criação;
Você, enquanto observador quântico;
Está colapsando energia infinita;
Para cocriar o seu novo eu e a sua nova realidade junto com o Criador;

Muito bem!
Que lindo!

Agora, entregue sua criação à Mente Superior;
E permita que Ela organize tudo para você;
Solte e confie!

E agora, simplesmente, agradeça;
Agradeça a liberação da crença limitante;
Agradeça a programação da nova crença empoderadora;
Agradeça a nova pessoa que você é agora;
Agradeça por este momento;
Agradeça o seu futuro de abundância;
Agradeça o seu futuro de prosperidade;
Agradeça o seu futuro de liberdade;
Simplesmente, agradeça a sua nova vida antes que ela se manifeste;
E quanto mais você permanecer em gratidão,
Mais você atrai sua nova vida para você...
Pois a assinatura emocional da gratidão significa...
Que o evento já aconteceu!

Está feito, Está feito, Está feito!

Você é magnífico(a)!
Você é o(a) mestre(a) e o(a) criador(a) do seu destino!
Memorize este sentimento de plenitude!

E quando você estiver pronto(a)...
Você pode abrir seus olhos!

OBS.: meditação Joe Dispenza.

Passo 4 – Eleve e sustente sua Frequência Vibracional®

A prática da Técnica Hertz®, das meditações e de outras técnicas ativam os níveis superiores de consciência, por isso, ao terminar de praticar, você se sente relaxado(a), tranquilo(a), confiante e muito otimista, com sua Frequência Vibracional® elevada.

Contudo, para sintonizar os potenciais elevados da Matriz Holográfica®, isto é, para entrar em ressonância com seu sonho e provocar o colapso da função de onda que o vai trazer para o plano da matéria, não é suficiente que você eleve sua frequência uma ou duas vezes por dia durante a prática das ferramentas e passe o restante do dia inconsciente, no piloto automático.

Como eu expliquei, esse foi o erro que eu cometi durante muito tempo – era a rainha das técnicas e do pensamento positivo de manhã, nas minhas meditações, mas inconscientemente passava o restante do dia reclamando, julgando e sendo vítima, ou seja, eu não só não sustentava minha Frequência Vibracional® elevada como ainda anulava ao longo do dia o trabalho feito de manhã, voltando a vibrar nas frequências inferiores, no meu caso, da culpa, da raiva e do medo.

Na qualidade de sua treinadora, alguém que já percorreu todo o caminho no qual você está dando os primeiros passos, aviso que já cometi esse erro e você não precisa repeti-lo. Quanto mais cedo compreender que a realização do seu sonho depende não somente da ativação dos níveis elevados de consciência, mas, sobretudo, da sua capacidade de sustentar essa vibração elevada, mais cedo seu sonho se realizará.

Inclusive, esta é a resposta para a pergunta "Elainne, quanto tempo vai demorar para meu sonho se realizar?". A quantidade de tempo linear que vai levar para a realização do seu sonho é a quantidade de tempo que você precisa para ser capaz de elevar e, principalmente, sustentar a vibração elevada compatível com a frequência do seu sonho.

Portanto, tão importante quanto dedicar seu tempo e energia para praticar as técnicas é o que faz no restante do tempo em que não está praticando. Como Joe Dispenza ensina, para que você possa se tornar o seu novo eu e viver a sua nova realidade dos sonhos, você precisa se comprometer 100% com sua mudança, o que inclui incorporar antecipadamente os pensamentos, sentimentos e atitudes do novo eu. Não tem outro jeito – você muda, mudando!

Naturalmente, durante o seu dia, vão surgir pensamentos, emoções e comportamentos automáticos negativos do velho eu. Entretanto, existem algumas estratégias que você pode adotar para "ficar de olho" em você mesmo e evitar qualquer coisa que seja contrária ao grande sonho que está cocriando:

Quanto mais cedo compreender que a realização do seu sonho depende não somente da ativação dos níveis elevados de consciência, mas, sobretudo, da sua capacidade de sustentar essa vibração elevada, mais cedo seu sonho se realizará.

REDUÇÃO CONSCIENTE DO PERÍODO REFRATÁRIO DAS EMOÇÕES

Período refratário das emoções é o nome dado nas Neurociências para o período de tempo em que a química corporal de uma emoção perdura no corpo após o pico desencadeado pela situação que foi o gatilho da emoção.

Por exemplo, quando você sente raiva por alguma situação de manhã, se passa o dia inteiro remoendo essa raiva, vitimizando e comentando com todos os que cruzam seu caminho sobre o evento que lhe causou raiva, de modo que ao fim do dia você ainda está irritado, isso significa que o período refratário da raiva que você sentiu de manhã foi longo e determinou a sua Frequência Vibracional® do dia.

Naturalmente, é inevitável sentir emoções negativas em alguns momentos, contudo, manter-se na frequência dessas emoções é uma escolha. Portanto, é importante que você escolha conscientemente se permitir sentir essas emoções, mas sair da ressonância delas o mais rápido possível, de modo que a experiência com emoções e sentimentos negativos não ultrapasse suas emoções e sentimentos positivos, para não comprometer a média da sua Frequência Vibracional®.

AUTO-OBSERVAÇÃO

Para sustentar sua Frequência Vibracional® elevada, é indispensável a prática constante da auto-observação, de modo a disciplinar suas reações e comportamentos automáticos, trazendo-os para a luz da consciência, e inibi-los ou corrigi-los. Acostume-se a se tornar consciente todas as vezes que você reclama, julga, justifica, vitimiza, critica ou, de alguma maneira, foca na escassez e não percebe a abundância a sua volta.

Por exemplo, em uma conversa com alguém, você percebe que está fazendo uma reclamação, então pensa *"opa, estou atrapalhando a cocriação do meu sonho"* e muda o assunto. Ou você percebe que está focando na escassez ao se sentir mal quando olha para a parede da sua casa que está com a tinta descascando e não tem dinheiro para mandar pintar hoje, então você pensa mais uma vez *"opa, estou atrapalhando a cocriação do meu sonho"* e muda o foco para a percepção da abundância, agradecendo por ter uma casa para morar, independentemente de ela estar ou não precisando de uma manutenção que você não pode pagar no momento.

Como David Hawkins ensina, o ego se torna tímido e humilde quando observado; o ego gosta de agir sob sua total ausência de consciência, quando está no modo piloto-automático e, por isso, quando você se dispõe a praticar a auto-observação e mostra quem está no comando, gradualmente inibe os pensamentos e comportamentos inconscientes e automáticos, assumindo o controle sobre si mesmo.

CONSUMO E PROPAGAÇÃO CONSCIENTE DE INFORMAÇÕES

Se você se dedica de manhã, acordando mais cedo inclusive, para meditar e praticar técnicas para elevar sua frequência, mas logo em seguida, você:

- Assiste ao telejornal;
- Olha as fofocas nas suas redes sociais;
- Informa-se sobre como está a situação da crise econômica, da pandemia ou da guerra na Ucrânia;
- Repassa e discute essas informações com as pessoas com quem conversa ao longo do dia;
- No final do dia, só para relaxar, você joga um joguinho de videogame violento ou assiste a um filme de terror.

Ao ter essas atitudes, infelizmente, você anula os efeitos das suas práticas matinais e diminui sua Frequência Vibracional®. Entenda que toda informação ou conteúdo pelo qual você se interessa, lê, assiste, ouve, conversa, discute e pensa fica impregnado na sua mente inconsciente e no seu campo eletromagnético, determinando a vibração que você emite e criando sua realidade.

Por isso, outra atitude fundamental para manter a sua Frequência Vibracional® é a prática do consumo e propagação consciente de informações, isto é, você precisa também ter a disciplina de se abster totalmente ou o máximo possível de acessar, repassar e interagir com conteúdos de baixa vibração, substituindo-os por informações e conteúdos relacionados à realização do seu sonho ou outros capazes de elevar sua vibração.

> **EXERCÍCIO – PULSEIRA DA AUTODISCIPLINA**
>
> Use um elástico para dinheiro como pulseira e se aplique uma "elasticada" todas as vezes em que se pegar tendo pensamentos ou comportamentos contrários à realização do seu sonho. Sua mente inconsciente e seu ego operam sob um sistema de recompensas, então, você pode disciplina-los a trabalhar a seu favor usando esse método pouco convencional, mas muito eficaz, para oferecer uma recompensa negativa que irá inibir seu piloto automático e modificar os hábitos que não colaboram com a manutenção da sua Frequência Vibracional®.

Passo 5 – Visualize

A linguagem das suas memórias e da sua mente inconsciente é a linguagem imagética. Você já deve ter reparado que, quando você solicita uma lembrança de qualquer evento do seu passado, essa lembrança não aparece em formato de texto, mas de imagens que podem incluir, além da percepção visual, outras informações sensoriais, como texturas, cheiros, sons e sabores.

Esse sistema opera em mão dupla, pois do mesmo jeito que você traz para a consciência suas memórias armazenadas na forma de imagens, você também pode inserir programações na sua mente inconsciente visualizando intencionalmente as imagens e cenas da nova realidade que está cocriando.

A visualização é a mais eficaz ferramenta de cocriação de realidade, porque a sua mente inconsciente é absolutamente imparcial; ela não diferencia experiências fisicamente reais de experiências imaginárias e tampouco distingue presente, passado e futuro, de modo que tudo o que você vive intensamente na sua imaginação é percebido como real no momento presente.

A visualização é uma ferramenta tão magnífica que até criei o treinamento Neurobótica Visualização Consciente®,[10] exclusivamente dedicado para estudar seu mecanismo e seus fundamentos, bem como para colocá-la em prática de maneira certeira e direcionada. No Neurobótica, ensino todos os segredos da Visualização Holográfica para a cocriação dos sonhos,

---

[10] Disponível em: https://www.neurobotica.com.br/. Acesso em: 4 ago. 2022.

HOLO COCRIAÇÃO® EM DEZ PASSOS

começando do zero até as técnicas mais avançadas, usadas inclusive por atletas de alta performance e medalhistas olímpicos.

Vou revelar aqui alguns desses segredos:

- Sua visualização precisa acontecer no momento presente, ainda que, obviamente, você esteja cocriando uma realidade futura;
- Você deve incluir elementos familiares nas cenas da sua visualização, como pessoas e objetos (por exemplo, se você está cocriando um carro novo, visualize dentro dele a caixinha dos seus óculos, sua garrafinha d'água, sua bolsa, seu bebê na cadeirinha etc.);
- Você deve atuar em primeira pessoa, ou seja, você não vai assistir a um filme, você vai ser o protagonista do filme;
- Você deve incluir todas as informações sensoriais que estariam presentes caso a cena vivenciada estivesse acontecendo na realidade física – sons, texturas, cheiros, sabores, movimentos, percepção de profundidade, peso, altura, vento etc.;
- No filme dos seus sonhos, você é o protagonista, mas também é importante incluir os atores coadjuvantes e interagir com eles, observando os gestos e o que eles estão dizendo para você (Por exemplo, ouvir seu médico dizer que você está curado ou ouvir o corretor de imóveis lhe dando parabéns pela compra da casa nova);
- E o mais importante: uma visualização bem-sucedida é aquela em que você consegue sentir a emoção de vivenciar o seu sonho realizado, aquela que dá arrepios e até faz chorar ou gargalhar de tanta alegria e gratidão. Quanto mais forte for o impacto emocional decorrente da sua experiência imaginária, mais poderoso será o efeito da visualização na cocriação dos seus sonhos!

CARTA MÁGICA + VISUALIZAÇÃO HOLOGRÁFICA

Escreva uma carta para o Universo agradecendo por estar vivenciando a vida dos seus sonhos. Escreva quantas páginas quiser, abusando dos detalhes para explicar como está a sua vida, a pessoa que você se tornou, as coisas que você tem, as atividades que você faz, o que estão dizendo a seu respeito... Conte tudo, ressaltando, a cada parágrafo, como você se sente!

EXERCÍCIO

> **EXERCÍCIO**
>
> ••• Em seguida, você vai usar sua carta como um roteiro para o filme da sua vida dos sonhos, a qual você vai ensaiar viver através da visualização. Para isso, ligue o gravador de voz do seu celular e leia sua carta em voz alta, lentamente, mas com entonação de entusiasmo, com pausas silenciosas entre as frases. Assim, seu áudio personalizado está pronto, e você pode praticar sua Visualização Holográfica todos os dias!

Passo 6 – Assuma o sentimento do desejo realizado

Assumir o sentimento do desejo realizado é a expressão do adágio "ser para ter", principal pressuposto da cocriação da realidade – você só pode ter aquilo que você já é. Emitir a frequência correspondente à frequência do seu sonho realizado é a única maneira de realizá-lo, pois é somente assim que você entra em ressonância com ele e provoca o colapso da função de onda.

Assumir o sentimento do seu desejo realizado é desenvolver o estado de espírito (incluindo pensamentos, sentimentos e comportamentos) que você teria se seu sonho já fosse real agora. Apesar da compreensão ser um desafio para muita gente, a ideia é que você não precisa *ter* alguma coisa para *ser* ou *sentir* alguma coisa. Quem faz as exigências do *ter* é o ego, que a todo momento aponta para o que está faltando na sua realidade material, mas sua Centelha Divina, por natureza, já é completa, perfeita e abundante. Então, não é que você tenha de "fingir" que seus problemas não existem e se omitir de agir para resolvê-los, e sim não permitir que esses problemas determinem seu estado de ser, condicionando o sentimento interno de felicidade a algo externo ou palpável.

Esse assunto é exaustivamente tratado por Neville Goddard, em especial em seus livros *O sentimento é o segredo* e *A Lei da Assunção*. O autor ensina que, quando acreditamos que nosso desejo já está realizado, temos os sentimentos correspondentes e somos capazes de sustentá-los como nosso próprio estado de ser, inevitavelmente, esse desejo se materializará de alguma maneira na realidade física.

HOLO COCRIAÇÃO® EM DEZ PASSOS

Pare de acreditar em Deus e comece a acreditar como Deus!
NEVILLE GODDARD

Gregg Braden, em *A Matriz Divina*, *O Efeito Isaías* e *Segredos de um modo antigo de rezar*, também ensina insistentemente que o segredo para realização de qualquer sonho é o sentimento de que ele já é real, acompanhado da mais genuína gratidão.

Basicamente, a antecipação do sentimento do sonho realizado se fundamenta naquela compreensão da unidade do Universo que mostra como estamos todos mergulhados no mesmo oceano infinito de energia e que fazemos parte do mesmo campo eletromagnético. Assim, apesar das aparências, não estamos separados de nossos sonhos, a realidade que desejamos já existe em algum "lugar" do emaranhamento quântico.

Você é um com o Universo, e o poder da sua imaginação é Deus agindo através de você. Isso quer dizer que, embora ainda não possa ver com seus olhos físicos ou tocar com suas mãos, o seu sonho já é real e já é seu; você não está separado dele, não existe "eu aqui na escassez e meu sonho ali na abundância".

Você é o Universo, o Criador está em você, então como pode achar que está separado do que deseja? Pode levar algum tempo até convencer a sua mente inconsciente a acreditar nessas coisas, mas se sentir em unidade com seu sonho é a virada de chave que você precisa acessar, algo muito sutil, mas incrivelmente poderoso.

Goddard diz que precisamos vivenciar todos os aspectos de nossas vidas sob o sentimento de que nossos sonhos já são reais na nossa experiência. Inicialmente, seus sentidos físicos, por ainda não serem capazes de perceber, discutirão com você na forma de conversas internas pessimistas, mas se você persistir em *ser* antes de *ter*, o que começou apenas na sua imaginação se tornará realidade palpável.

Resumindo, viva de maneira que a realização do seu sonho não seja o lugar para onde você quer ir, mas o lugar onde você já está! Não viva esperando que algo aconteça para você se sentir feliz, grato e pleno; viva feliz, grato e pleno e, então, algo muito bom, infalivelmente, acontecerá! E não permita que os problemas e circunstâncias adversas vigentes na sua realidade externa determinem como você se sente!

Entenda ainda que, dentre toda a variedade de sentimentos que seu sonho realizado pode despertar, o principal sentimento do qual todos os outros derivam e que é um booster para elevar sua Frequência Vibracional® aos níveis superiores da Escala das Emoções é a GRATIDÃO. Por isso, ao assumir e incorporar os sentimentos do seu sonho realizado, você pode e deve cultivar alegria, paz, liberdade, amor, prosperidade, sucesso e outros sentimentos positivos, mas o mais importante é que você sinta a mais profunda gratidão pela certeza de que seu sonho já é seu, pois a gratidão é o sentimento que confirma o recebimento de algo.

> **EXERCÍCIO – SER PARA TER**
>
> Em silêncio, de olhos fechados, pense, sinta e visualize o seu sonho realizado agora. Demore o suficiente para sentir a emoção de já viver na pele do seu novo eu circular por todo o seu corpo e irradiar para o seu campo eletromagnético.
>
> Abra os olhos e vá viver o seu dia. Sua missão é ser esse sentimento em cada segundo que você estiver acordado.
>
> Apareceram problemas? Você tem duas opções: resolva o que tiver solução e aceite o que não tem como se resolver no momento. Só não permita que o problema abale seus sentimentos de alegria e gratidão pelo desejo realizado que ainda não está presente na sua realidade física, mas que você sabe que está a caminho.
>
> Nas situações mais desafiadoras, para se recompor, use os comandos quânticos:
>
> *Código Divina Alma, EU SOU, sentimento de (mágoa raiva, medo, escassez, ódio, vergonha, culpa etc.) está cancelado, cancelado, cancelado.*
>
> *Código Divina alma, eu decreto, neste momento, (sentimentos positivos contrários aos negativos que você cancelou) em minha vida.*
>
> *Código Divina Alma, EU SOU. Eu Sou (sentimentos positivos contrários aos negativos que você cancelou).*

Passo 7 – Alinhamento Vibracional

A cocriação do seu sonho depende essencialmente da vibração que você emite para o Universo, que quando entra em ressonância com a vibração do seu sonho na Matriz Holográfica®, faz com que ocorra o colapso da função de onda e o resultado é a manifestação do seu desejo na sua realidade física.

Você é o Universo, o Criador está em você, então como pode achar que está separado do que deseja?

Para que sua vibração entre em ressonância com a vibração da onda do seu sonho e você consiga cocriar a realidade desejada, antes de mais nada é preciso prestar atenção em como está a sua ressonância pessoal, a qual consiste na congruência entre seus pensamentos, sentimentos e ações, pois são esses três elementos que constituem, basicamente, a sua Frequência Vibracional®, isto é, a frequência que você emana para Universo, sua assinatura energética pela qual o Universo decodifica seus desejos.

Essa ressonância pessoal entre o pensar, o sentir e o agir é o que chamamos de alinhamento vibracional, no sentido de que as vibrações desses "ingredientes" da Frequência Vibracional® estejam perfeitamente alinhados e harmônicos, de modo a amplificar sua energia e enviar uma mensagem coerente ao Universo para sintonizar o potencial desejado.

Enquanto, no mundo da matéria e nos limites restritos da Física Clássica, um resultado desejado pressupõe esforço; no mundo quântico da cocriação, o resultado desejado não é consequência do seu esforço, mas do seu alinhamento vibracional. Quando você entra em harmonia internamente, você também entra em harmonia com o Universo e com o fluxo da abundância infinita que se expressa de infinitas formas, muito além da abundância material.

Entenda que o Universo não "fala" português ou qualquer outro idioma, portanto ele não entende quando você usa apenas suas palavras para expressar seus desejos; o idioma do Universo é a energia das frequências que cada ser emana. Sendo assim, você só consegue cocriar seus sonhos se estiver emanando a frequência correspondente e, para isso, é preciso que aquilo que você pensa seja coincidente com o que sente, motivo pelo qual é fundamental o trabalho de limpeza de crenças, para que você possa alinhar os desejos da sua mente consciente com as verdades da sua mente inconsciente.

O primeiro passo do alinhamento vibracional é 100% interno, pois é o alinhamento entre seus pensamentos e sentimentos, cérebro e coração, mente consciente e mente inconsciente. O segundo passo consiste em adicionar um elemento externo, que é seu comportamento, a maneira como você age, reage e interage com o mundo.

A sua mente inconsciente capta a sua vibração e transmite a informação para a Mente Cósmica através da Frequência Vibracional® emanada pelo seu campo eletromagnético, de maneira que, quando sua frequência é elevada e harmônica, você entra em conexão com as frequências elevadas da Matriz Holográfica® e, assim, a sua frequência pessoal se conecta com a frequência do Criador, fazendo de você um cocriador da realidade.

Eu mesma me dediquei a alcançar meu alinhamento vibracional. Quando estava naquela situação desafiadora de extrema escassez, eu disciplinava meus pensamentos, cultivava sentimentos positivos correspondentes para sair da reclamação e vibrar gratidão, tudo isso adicionando o alinhamento com meu comportamento, pois, mesmo quando não tinha dinheiro, nem clientes, nem seguidores, nem audiência, eu acordava cedo, me arrumava, me maquiava e me sentava à frente do computador para estudar e trabalhar, pensando, sentindo e agindo como a treinadora, palestrante e autora de sucesso que desejava ser. Minha compreensão era de que a pessoa que eu queria me tornar não era uma pessoa que passava o dia de pijama e pantufa com os cabelos presos com uma caneta!

Em resumo, seu objetivo é sentir como pensa e agir como pensa e sente até que seus pensamentos, sentimentos e atitudes estejam alinhados. É preciso paciência, persistência e consistência para alcançar e sustentar o alinhamento vibracional necessário para se colocar em ressonância com o seu sonho. As coisas não acontecem da noite para o dia, portanto, também é preciso fé para se manter firme no seu propósito de alinhamento vibracional, confiando na precisão matemática das Leis Universais e da Física Quântica, na certeza de que o alinhamento entre a vibração do que você é com a vibração daquilo que você deseja é uma mera questão de tempo.

DECRETO DO EU SOU EM AÇÃO PARA PROMOVER O ALINHAMENTO VIBRACIONAL

Eu Sou Deus em Ação restabelece a Ordem Divina!

Através do meu Poder Pessoal, Eu ordeno ao meu inconsciente que desfaça e dissolva agora todos os desequilíbrios que possam ter sido instalados em meus corpos físico, etérico, emocional, mental e espiritual.

Retornarão ao pó de onde vieram, pois Eu Sou Deus em Ação e meus corpos são Perfeitos.

Ordeno ao meu inconsciente que dissolva e desfaça agora todos os desequilíbrios instalados na minha realidade, pois Eu Sou Deus em ação e minha realidade é Perfeita!

Desequilíbrios são ilusões criadas pelo meu ego, e determino agora que meu ego não tenha poder nenhum sobre meu Ser.

> *Determino agora à minha mente inconsciente que restabeleça imediatamente a Ordem Divina, obedecendo aos comandos do Eu Sou Deus em Ação.*
>
> *Ordeno que se restabeleça a Ordem Divina em minhas células, moléculas e elétrons.*
>
> *Ordeno que se restabeleça a Ordem Divina nos meus pensamentos, emoções, atos e palavras, colocando-me sempre na ação correta, pensamento correto e emoção correta.*
>
> *Ordeno que se restabeleça a Ordem Divina na minha realidade, reorganizando minha prosperidade, minha família, minhas relações, meu trabalho e minha profissão.*
>
> *A energia do Eu Sou Deus em Ação flui por todos os meus corpos agora, por todos os cantos e espaços do meu Ser.*
>
> *Sei que minha mente inconsciente obedece prontamente às minhas ordens, pois Eu Sou Deus em Ação e aceito que assim seja.*
>
> *Eu Sou Deus em Ação. Eu Sou Deus em Ação. Eu Sou Deus em Ação.*
>
> *Aqui, agora e sempre.*
>
> *Em todos os níveis, tempos e dimensões.*
>
> *Amém, amém, amém e amém.*

Passo 8 – Silencie-se em Ponto Zero

Silenciar no Ponto Zero significa acessar um estado de vazio mental em que, ainda que por apenas alguns instantes, seus pensamentos, julgamentos, críticas, percepções sensoriais memórias de dores do passado, preocupações com problemas do presente e especulações sobre o futuro são completamente neutralizados e silenciados.

No silêncio do Ponto Zero, você abandona as possibilidades limitadas que sua mente consegue vislumbrar sob o filtro das suas crenças e acessa as infinitas possibilidades da Matriz Holográfica®, motivo pelo qual o Ponto Zero também é conhecido como o Ponto de Deus, uma vez que é silenciando o ego que você libera sua Centelha Divina para atuar através de você e a favor do seu crescimento.

"Zero" é uma metáfora para o vazio da mente, ou seja, significa zero pensamentos, zero angústia, zero preocupação, zero medo, zero vitimização e assim por diante. Sobretudo, se refere a zero ego atuando, zero conversa interna que justifica, questiona e procrastina. Em resumo, zero limitações!

Por outro lado, o vazio do Ponto Zero é cheio de possibilidades, pois neste estado de silêncio absoluto, no qual por um momento você esquece quem você pensa que é, esquece do seu corpo, esquece dos seus problemas para se tornar uma "consciência sem corpo fundida ao Universo", como diz Joe Dispenza,[11] você se abre para receber a Inspiração Divina e para sintonizar uma nova realidade.

Em meus treinamentos, dedico aulas inteiras para falar de sua importância, também existe uma vasta literatura a seu respeito – em especial os livros *Limite zero* e *Marco zero*, de Joe Vitale, e *O poder do silêncio*, de Eckhart Tolle –, contudo, por sua natureza, o Ponto Zero é inefável, isto é, impossível de ser conceitualizado com palavras ou conhecido intelectualmente. É até possível descrever as sensações decorrentes da conexão com o Vazio, mas a compreensão em sua plenitude só se dá através da experiência pessoal, quando se vivencia na própria consciência. Em outras palavras, como a essência do Ponto Zero é a Mente Infinita do Criador, você não pode ter a pretensão de compreendê-lo racionalmente com sua modesta mente finita.

No passo a passo da cocriação da realidade com a qual você tanto sonha, é indispensável que se dedique a fazer conexão com o Ponto Zero, pois é através dele que você vai conseguir transcender seu passado e presente de escassez, esvaziando-se do velho para se preencher com o novo, em qualquer uma das infinitas possibilidades que você deseje.

Como você deve ter notado, intercalando os comandos da Técnica Hertz®, você é conduzido a silenciar no Ponto Zero, e o objetivo é, ainda que por apenas alguns segundos, neutralizar a atividade da sua mente consciente, das conversas internas e dos pensamentos, para que você possa se desconectar das percepções da realidade material tridimensional e das limitações dos seus sentidos físicos para acessar a realidade quântica da Matriz Holográfica®, entrando em conexão com as infinitas possibilidades.

Se você é um cocriador, faz total sentido que busque a conexão com seu "parceiro" de criação para ser capaz de desprogramar e reprogramar crenças e cocriar os sonhos. E é exatamente por isso que a Técnica Hertz®

---

[11] DISPENZA, J. A mudança começa pela mente. **Younyt-Brazil**. Disponível em: https://elopage.com/s/younity-brazil/a-mudanca-comeca-pela-mente-dr-joe-dispenza-brasil/payment?campaign_id=dij-bpt-k2-l2&locale=pt_br. Acesso em: 27 jul. 2022.

é a mais fabulosa ferramenta, pois opera na limpeza e programação de crenças e na visualização do seu sonho, ao mesmo tempo em que facilita a sua conexão com o Criador, promovendo a restauração da sua frequência original de harmonia, amor, paz e abundância.

Assim, daqui para frente, sempre que você for praticar a Técnica Hertz®, dedique-se a silenciar a mente para se conectar com o Ponto Zero tanto quanto você se dedica a afirmar seu novo Eu Sou e a visualizar os hologramas dos seus sonhos realizados.

> **EXERCÍCIO**
>
> **SILENCIANDO A MENTE**
>
> *Sente-se confortavelmente e feche os olhos;*
> *Imagine que sua consciência é um lindo céu azul;*
> *Eventualmente, passam nuvens brancas por este céu – são os seus pensamentos;*
> *Apenas observe e deixe a brisa levar seus pensamentos;*
> *O segredo não está em se esforçar e lutar contra seus pensamentos;*
> *Mas em apenas observá-los, deixando que venham e vão sem julgamentos;*
> *Não reaja, não se identifique com seus pensamentos;*
> *Você não é uma nuvem, você é o próprio céu!*
>
> OBS.: quanto mais você praticar esse movimento de se tornar consciente dos seus pensamentos e observá-los passarem por você sem interagir com eles, mais silenciosa sua mente vai se tornando. Você vence seu ego tagarela no cansaço, sendo mais persistente, mostrando que você é a consciência que está no comando!

Passo 9 – Solte

Soltar é o passo mais fácil e, ao mesmo tempo, o mais difícil do processo de cocriação – para quem tem fé, é extremamente fácil; para quem não tem, é desafiador e penoso.

Muita gente faz confusão com esse passo da cocriação por achar que soltar significa se desconectar totalmente de seu sonho, parando de pensar nele, de sentir que ele já é real, de agradecer por ele, de praticar a visualização e de agir para que ele aconteça. Mas soltar não é nada disso!

HOLO COCRIAÇÃO® EM DEZ PASSOS

Soltar não implica tirar o foco do seu sonho e trabalhar para que ele se realize. Quando falamos em soltar, estamos falando de desapegar de toda e qualquer pressa, urgência, necessidade, escassez, preocupação, ansiedade, angústia, medo, insegurança, dúvida e outros sentimentos equivalentes que indiquem a sua falta de fé e certeza de que seu sonho já é seu, porque você é um com ele e com todo o Universo.

Soltar é não precisar que seu sonho se realize para ontem, é não considerar sua realização como uma questão de vida ou morte ou condicionar sua felicidade à realização dele. Soltar é desapegar e liberar aquele sentimento de "eu preciso urgentemente de...", pois, quando você precisa desesperadamente de alguma coisa, você está expressando sua resistência em confiar no processo, em si mesmo e no Criador, além, claro, de estar emitindo uma frequência gritante de escassez. Entenda que o Universo não trabalha sob pressão, pois a natureza do Universo é fluidez e harmonia. Entenda também que o Universo não trabalha com tempo linear, de modo que, por mais que você esperneie, Ele não compreende seu conceito de urgência. Portanto, se você tem pressa em cocriar seu sonho, não apresse o Universo; apresse a si mesmo para parar de reclamar, vitimizar, justificar, questionar, duvidar e precisar desesperadamente das coisas, apresse a si mesmo para parar de resistir e tentar controlar tudo, apresse a si mesmo para elevar e sustentar sua Frequência Vibracional®, pois essa é a única maneira de cocriar seu sonho.

O segredo, portanto, é neutralizar suas expectativas ansiosas, desapegar do controle e se render ao fluxo do Universo, com 100% de fé de que as infinitas possibilidades estão à sua disposição e que existem infinitas maneiras para que seu sonho se realize, dando ao Universo a oportunidade de lhe surpreender!

SOLTAR

Feche os olhos e visualize seu sonho;
Sinta que ele já é real, já é seu agora;
Deixe que os sentimentos de alegria e gratidão tomem conta de você;
Expresse toda a sua gratidão pela realização do sonho;
Então, coloque as cenas que você visualizou dentro de bolhas furta-cor;

EXERCÍCIO

COCRIADOR DA REALIDADE

> **EXERCÍCIO**
>
> Assopre essas bolhas para o alto, soltando e entregando seu sonho para o Universo;
> Peça ao Criador para que Ele, em Sua Infinita Harmonia, organize tudo do jeito certo para você;
> Agradeça!

Passo 10 – Aja

Por fim, paralelamente ao seu trabalho de reprogramação de crenças limitantes, mudança de padrões, elevação da Frequência Vibracional®, conexão com a Matriz Holográfica® e visualização do seu sonho, você também precisa agir fisicamente para que seu sonho efetivamente se realize, afinal se você quer trazer seu sonho do mundo sutil da energia pura para o mundo da matéria, você precisa fornecer as condições físicas necessárias.

Em outras palavras, para seu sonho se realizar, você precisa sincronizar seu movimento energético com suas ações físicas, pois não adianta você mobilizar a energia para ela se densificar na matéria caso as circunstâncias materiais necessárias não estejam presentes. Para o Universo entregar seu sonho, é preciso um aparelho compatível para recebê-lo.

Por exemplo:

- Se você deseja se curar de uma doença, precisa agir para mudar seu estilo de vida, a gestão das suas emoções, melhorar sua alimentação, seguir um tratamento etc.;
- Se você deseja emagrecer, precisa agir praticando atividades físicas e fazendo dieta;
- Se você deseja 1 milhão de seguidores no Instagram, precisa agir oferecendo conteúdo de qualidade todos os dias;
- Se você deseja ter uma agenda cheia de clientes, precisa agir divulgando seu serviço, investindo em publicidade e oferecendo algo incrível para seu público.

Para agir adequadamente, você precisa de planejamento e, por isso, é fundamental que você estabeleça suas metas de curto, médio e longo prazo, criando um passo a passo para direcionar suas ações e para motivá-lo a alcançar o resultado desejado. Quando você tem um plano de ação bem delineado, consegue identificar quando está no caminho (ou fora dele), consegue avaliar seu progresso, corrigir seus erros e reajustar sua rota.

A ação tira você da posição de vítima da Lei da Causa e Efeito e empodera-o para agir no sentido de causar os efeitos que você deseja experimentar; a ação também o tira da zona de conforto e da vibração do medo e leva-o para a consciência da autorresponsabilidade.

Independentemente da situação em que você esteja no momento, se deseja mudança, precisa agir — mudar a sua realidade pressupõe um total comprometimento com a ação. E você não pode ficar esperando pelo "momento certo" ou esperando que você "esteja pronto"; ==se você não aguenta mais a realidade em que está vivendo, então você está pronto para agir, e o momento certo é agora!==

PEQUENAS AÇÕES QUE VOCÊ PODE COLOCAR EM PRÁTICA HOJE

Faça uma listinha com três pequenas ações que você pode começar a adotar HOJE para realizar o seu sonho. Seja modesto e despretensioso, colocando na lista apenas coisas simples e realmente possíveis, com as quais você possa se comprometer 100%.

Exemplos:
Se você quer melhorar sua saúde, escreva: "Eu me comprometo a beber 4 litros de água por dia";
Se você quer se sentir mais conectado com a Fonte, anote: "Eu me comprometo a meditar quinze minutos por dia".

Você:

1. Eu me comprometo _____

2. Eu me comprometo _____

3. Eu me comprometo _____

Pequenas ações são capazes de produzir grandes mudanças, acredite!

EXERCÍCIO

Para seu sonho se realizar, você precisa sincronizar seu movimento energético com suas ações físicas.

Referências

ATKINSON, W. W. **O Caibalion**: um estudo da filosofia hermética do antigo Egito e da Grécia. São Paulo: Mantra, 2018.

BRADEN, G. **A Matriz Divina**: uma jornada através do tempo, do espaço, dos milagres e da fé. São Paulo: Cultrix, 2008.

_____. **Segredos de um modo antigo de rezar**: descubra a linguagem poderosa que nos liga à mente de Deus. São Paulo: Cultrix, 2006.

_____. **O Efeito Isaías**: decodificando a ciência perdida da prece e da profecia. São Paulo: Cultrix, 2002.

BYRNE, R. **O segredo**. Rio de Janeiro: Sextante, 2015.

CHOPRA, D. **As sete leis espirituais do sucesso**: um guia prático para realização de seus sonhos. Rio de Janeiro: BestSeller, 2019.

DISPENZA, J. **Como criar um novo eu**: descubra o método quântico para controlar a sua mente e mudar a sua vida. Rio de Janeiro: Lua de Papel, 2014.

_____. **Como se tornar sobrenatural**: pessoas comuns realizando o extraordinário. Porto Alegre: Citadel, 2020.

_____. **Quebrando o hábito de ser você mesmo**: como desconstruir a sua mente e criar um novo eu. Porto Alegre: Citadel, 2018.

_____. **Você é o placebo**: o poder de curar a si mesmo. Porto Alegre: Citadel, 2020.

GERMAIN, S. **O livro de ouro de Saint Germain**: a sagrada alquimia do Eu Sou. Joinville: Clube de Autores, 2019.

GODDARD, N. **O despertar da consciência**. Joinville: Universo Livros, 2018.

_____. **O sentimento é o segredo**. Joinville: Clube de Autores, 2016.

_____. **O poder da consciência**. Joinville: Clube de Autores, 2016.

GOSWAMI, A. **O universo autoconsciente**: como a consciência cria o mundo material. São Paulo: Aleph, 2015.

HAWKINS, D. **Poder vs. Força**: os determinantes ocultos do comportamento humano. Barueri: Pandora Treinamentos, 2018.

HAY, L. L. **Você pode curar sua vida**: como despertar ideias positivas, superar doenças e viver plenamente. Rio de Janeiro: BestSeller, 2018.

HILL, N. **A escada para o triunfo**. Porto Alegre: Citadel, 2016.

_____. **Quem pensa enriquece!** Porto Alegre: Citadel, 2020.

KOTSOU, I. **Caderno de exercícios de Inteligência Emocional**. Petrópolis: Vozes, 2014.

LOSIER, M. J. **A lei da atração**: O segredo, de Rhonda Byrne, colocado em prática. Rio de Janeiro: Leya, 2017.

MURPHY, J. **O poder do subconsciente**. Rio de Janeiro: BestSeller, 2015.

PONDER, C. **As leis dinâmicas da prosperidade**. Barueri: Novo Século, 2020.

_____. **Ouse prosperar**. Barueri: Ágape, 2019.

PROCTOR, B. **Você nasceu rico**: as chaves para maximizar o incrível potencial que nasceu com você. São Paulo: É Realizações, 2013.

TOLLE, E. **O poder do silêncio**. Rio de Janeiro: Sextante, 2016.

_____. **Um novo mundo**: o despertar de uma nova consciência. Rio de Janeiro: Sextante, 2007.

VITALE, J. **Attract Money Now**. Austin: Hypnotic Marketing, 2012.

_____. **Limite zero**: o sistema havaiano secreto para prosperidade, saúde, paz, e mais ainda. Rio de Janeiro: Rocco, 2009.

_____. **Marco zero**: a busca por milagres por meio do Ho'oponopono. Rio de Janeiro: Rocco, 2014.

Aponte a câmera do seu celular para o QR Code abaixo e tenha acesso a um presente especial que preparei para você!

http://cocriadordarealidade.com.br/presentes

Este livro foi impresso pela Rettec em papel pólen bold 70 g/m² em setembro de 2022.